*i Robinson*

Fernando Savater

# Etica
# per un figlio

Editori Laterza

Titolo dell'edizione originale
*Ética para Amador*

© Copyright by Fernando Savater, 1991
© Copyright by Editorial Ariel,
S.A., Barcelona, 1991

Traduzione di David Osorio Lovera
e Cristiana Paternò
Traduzione dell'Appendice
di Francesca Saltarelli

Prima edizione 1992
Venticinquesima edizione 1999
Nuova edizione, con l'aggiunta
di un'Appendice, 2000
Settima edizione 2004

Proprietà letteraria riservata
Gius. Laterza & Figli Spa, Roma-Bari

Finito di stampare nel febbraio 2004
Poligrafico Dehoniano -
Stabilimento di Bari
per conto della
Gius. Laterza & Figli Spa
CL 20-6097-3
ISBN 88-420-6097-6

«Ascolta, figlio mio, disse il demonio poggiando la mano sopra la mia testa...»

EDGAR ALLAN POE

# Avvertenza antipedagogica

Questo *non* è un manuale di etica per liceali. Non ci troverete informazioni sugli autori o sulle correnti più importanti del pensiero morale nella storia della filosofia. E il mio non è neppure un tentativo di spiegare al grande pubblico l'imperativo categorico... Non volevo scrivere un repertorio di soluzioni morali ai problemi di tutti i giorni, quelli che capita di trovare leggendo il giornale o camminando per la strada: dall'aborto all'obiezione di coscienza passando per l'uso del preservativo. E sono convinto che non sia compito dell'etica offrire risposte ai dibattiti, anche se le spetta sempre contribuire ad aprirli... In Spagna ci si domanda se non sia giusto parlare di etica nella scuola superiore. Per quanto mi riguarda, introdurre una materia con questo nome da mettere in alternativa all'ora di religione mi pare del tutto sbagliato. L'etica, poveretta, non è venuta al mondo per puntellare o rimpiazzare i catechismi... o perlomeno non dovrebbe essere così oggi, alla fine del XX secolo. Però non sono altrettanto convinto che si debbano mettere al bando delle prime considerazioni generali sul significato della nozione di libertà, e non credo che bastino sull'argomento un certo numero di regole di comportamento sparse qua e là nelle altre materie. La riflessione morale non può ridursi a un argomento specialistico per chi intende iscriversi a filosofia all'università: l'etica è parte *essenziale* di ogni educazione veramente degna di questo nome.

Questo libro non pretende di essere altro, è solo un libro. Personale e soggettivo come il rapporto tra padre e figlio, ma anche universale come quel rapporto, il più comune di tutti. È stato pensato e scritto perché lo possano leggere degli adolescenti: ai loro maestri, probabilmente, insegnerà ben poco. Il mio obiettivo non è quello di fabbricare cittadini benpensanti (e tantomeno malpensanti) ma quello di stimolare la formazione di *liberi pensatori*.

Madrid, 26 gennaio 1991

# Prefazione

Certe volte, Amador, mi viene voglia di raccontarti tante cose. Ma stai tranquillo, me le tengo dentro, perché già ti devo dare parecchie scocciature nel mio ruolo di padre e non è il caso di dartene altre travestito da filosofo. Capisco benissimo che anche la pazienza di un figlio ha un limite. E poi non voglio che mi succeda come a un mio amico galiziano che un giorno se ne stava tranquillo a contemplare il mare in compagnia del suo bambino di cinque anni, quando il moccioso gli disse in tono trasognato: «Papà, mi piacerebbe andare in barca con te e con la mamma». Al mio amico, che era un tipo sentimentale, venne un nodo alla gola, proprio sotto a quello della cravatta: «Ma certo, figlio mio! Quando vuoi!». «E quando saremo in alto mare — continuò a fantasticare la tenera creatura — vi butterò giù nell'acqua. Così affogate». Dal cuore spezzato del padre salì un grido di dolore: «Ma figlio mio!». «Beh, papà. Non lo sai che i genitori rompono parecchio?». Fine della lezione numero uno.

Se anche un bambinetto di cinque anni la pensa così, figuriamoci un adolescente di quindici anni e più come te. Per cui non voglio suggerirti altri motivi per il parricidio in aggiunta a quelli già diffusi nelle migliori famiglie. E poi mi hanno sempre dato fastidio quei padri che giurano di essere «il miglior amico di mio figlio». I giovani devono avere amici della loro età: amici e amiche, naturalmente. Con i genitori, i professori e gli adulti in generale nel migliore dei casi è possibile andare abbastanza d'accordo, e questo è già molto. Però andare abbastanza d'accordo con un adulto a volte significa anche avere voglia di affogarlo. Non ci sono alternative. Se avessi quindici anni, e mi sa che difficilmente mi succederà di nuovo, diffiderei di tutti i grandi troppo «simpatici», di tutti quelli che si comportano come se volessero sembrare più giovani di me, e di tutti quelli che mi danno sistematicamente ragione. Sai a che mi riferisco: quelli che ripetono sempre che «i giovani hanno le palle», che dicono «mi sento giovane come voi», e altre stupidaggini del genere.

Attenzione! Se fanno tante moine sicuramente vorranno qualcosa in cambio. Un genitore o un professore come si deve bisogna che sia un po' pesante, sennò non serve a nulla. Il giovane sei tu.

Insomma mi è venuto in mente di scrivertele, alcune di quelle cose che avrei voluto raccontarti, ma che non ho avuto il coraggio o la capacità di dirti. Un genitore che fa discorsi di filosofia bisogna stare a guardarlo con la faccia interessata sognando il momento in cui si potrà finalmente correre a guardare la tv. Un libro invece lo puoi leggere quando vuoi, a tempo perso, e senza bisogno di dimostrarti rispettoso: girando le pagine sei libero di sbadigliare o di ridere se ti va.

Dato che la maggior parte delle cose che ti dirò riguarda proprio la libertà è più giusto leggerle che ascoltarle come se fossero una predica. Un po' di *attenzione*, naturalmente, dovrai prestarmela (circa la metà di quella che ti serve per imparare un nuovo videogioco) e dovrai avere un po' di *pazienza* soprattutto nei primi capitoli. Capisco che questo rende le cose più difficili ma non ho voluto risparmiarti lo sforzo di pensare *passo dopo passo* e non volevo trattarti come un idiota. Non so se sei d'accordo, ma io sono dell'opinione che quando tratti qualcuno da idiota è molto probabile che se non lo è lo diventi presto. Di che cosa voglio parlarti? Della mia vita e della tua. Niente di più, niente di meno. O se preferisci: di quello che io faccio e che tu stai cominciando a fare. Riguardo a quello che faccio io vorrei finalmente rispondere a una domanda a bruciapelo che mi hai fatto molti anni fa — non te ne ricorderai più — e che allora rimase senza risposta. Dovevi avere circa sei anni e passavamo l'estate a Torrelodones. Una sera come le altre stavo battendo a macchina svogliatamente sulla mia Olivetti portatile, chiuso nella mia stanza, e di fronte a me c'era la foto della coda di una grande balena, che veniva fuori dal mare azzurro, dritta e gocciolante. Ti sentivo giocare con i tuoi cuginetti in piscina, vi vedevo correre in giardino. Perdonami il commento un po' di cattivo gusto: mi sentivo bagnato di sudore e di felicità. Improvvisamente ti sei affacciato alla finestra aperta e mi hai detto: «Ciao, che stai macchinando?». Risposi la prima sciocchezza che mi venne in mente perché non era il caso di mettersi a spiegare che stavo cercando di scrivere un libro di etica. Non ti interessava sapere cos'era l'etica e non mi avresti prestato attenzione per più di tre minuti. Forse volevi solo farmi sapere che eri lì: come se potessi mai dimenticarmene, allora come adesso. Gli altri ti hanno chiamato e sei scappato via correndo. Continuai a macchinare e solo ora, quasi dieci anni dopo, mi decido finalmente a darti delle spiegazioni su questa cosa strana, l'etica, di cui continuo a occuparmi.

Un paio di anni dopo, di nuovo nel nostro piccolo paradiso di Torrelodones, mi hai raccontato un sogno che avevi fatto.

Non ti ricordi neanche di questo, vero? Stavi in un campo, era buio come di notte, e soffiava un vento terribile. Ti afferravi agli alberi, alle pietre, ma l'uragano ti portava via e non potevi farci nulla, come la bambina nel *Mago di Oz*. Mentre eri sballottato nell'aria verso l'ignoto, udisti la mia voce («Non ti vedevo ma sapevo che eri tu», hai puntualizzato) e io ti dicevo: «Abbi fede! Abbi fiducia!».

Non sai che regalo mi hai fatto quando mi hai raccontato questo strano incubo. Neanche se campassi mille anni potrei ripagarti per come mi sentii orgoglioso quel pomeriggio a sapere che la mia voce poteva darti coraggio.

Bene, tutto quello che ti dirò nelle pagine seguenti non è altro che la ripetizione di questo unico consiglio: abbi fede. Non dico in me, né in qualche sapiente, e neppure nel sindaco, nel prete o nella polizia. Non negli dèi né nel diavolo, né in macchine o bandiere. Abbi fiducia in *te stesso*. Nell'intelligenza che ti permetterà di diventare sempre migliore, e nell'istinto del tuo sentimento che metterà al tuo fianco i compagni giusti.

Hai già capito che questo non è un giallo che bisogna leggere fino all'ultima pagina per sapere chi è l'assassino. Ho tanta fretta che già nella prefazione ti ho svelato qualcosa dell'ultima lezione.

Ti verrà forse il sospetto che sto cercando di succhiarti il cervello, e non sei del tutto fuori strada. Certi cannibali aprono (o aprivano) il cranio dei nemici per mangiare parte del loro cervello e impadronirsi così della loro sapienza, dei loro miti e del loro coraggio. In questo libro ti dò da mangiare parte della mia testa e nello stesso tempo approfitto un poco della tua. Non so se dal mio cervello caverai molto nutrimento: forse qualche boccone dell'esperienza di uno che non ha affatto appreso tutto quello che sa dai libri. Da parte mia voglio prendere a morsi una buona porzione del tesoro che hai in abbondanza: la tua gioventù ancora intatta. Buon appetito a tutti e due.

# Etica per un figlio

# 1
## Di che si occupa l'etica

Esistono discipline che si studiano semplicemente per il desiderio di conoscere cose nuove; altre per apprendere a fare qualcosa o a utilizzare qualche strumento; e la maggior parte servono per trovare lavoro e guadagnarsi la vita. Ma di tutti questi studi si può tranquillamente fare a meno se uno non è portato per curiosità naturale o costretto da qualche necessità a dedicarcisi. Le forme di conoscenza interessanti ma non indispensabili a vivere sono moltissime: personalmente, per esempio, mi dispiace non sapere un accidente di astrofisica o di ebanisteria, cose che ad altri daranno certamente molte soddisfazioni, ma questo non mi ha impedito di tirare avanti fino a oggi. E tu, se non sbaglio, te la cavi bene con le regole del calcio, ma non sei ferrato nel baseball. Non ha importanza: ti diverti quando ci sono i mondiali, te ne freghi della National League americana, e tutto va bene.

Voglio dire che certe cose si possono imparare o no, come ti pare. Siccome nessuno è in grado di sapere tutto, non possiamo che accettare con umiltà il fatto che in tante cose siamo ignoranti. Si può vivere benissimo senza sapere niente di astrofisica, ebanisteria o di calcio, e perfino senza sapere né leggere né scrivere: si vive peggio, se vuoi, ma si vive.

Invece ci sono altre cose che bisogna sapere per forza, perché ne va della nostra vita, come si dice. È necessario sapere, per esempio, che buttarsi dal sesto piano non fa bene alla salute; oppure che una dieta a base di chiodi (chiedo scusa ai fachiri) e acido prussico non vi farà arrivare alla vecchiaia. Non è consigliabile ignorare che se uno ogni volta che incrocia il vicino di casa gli molla uno schiaffone, prima o poi andrà a finire male. Queste stupidaggini sono importanti. Si può vivere in molti modi, ma ci sono modi che non permettono di vivere.

Per farla breve, tra tutte le scienze ne esiste almeno una di cui non si può fare a meno: sapere che certe cose ci *convengono* e altre no. Certi alimenti non fanno bene, certi comportamenti o atteggiamenti non sono convenienti. Voglio dire, ovviamente, se vogliamo continuare a vivere. Se uno vuole tirare le cuoia prima possibile, la cosa migliore è bere un bel bicchiere di candeggina o, in alternativa, circondarsi del maggior numero di nemici possibile. Ma supponiamo che uno preferisca vivere; per ora lasciamo da parte i gusti rispettabilissimi del suicida.

Certe cose ci risultano utili e le chiamiamo «buone» perché ci fanno bene; altre invece ci fanno molto male e queste le chiamiamo «cattive». Sapere che cosa ci è utile, ossia distinguere tra il bene e il male, è una conoscenza che tutti cerchiamo di acquisire — tutti nessuno escluso — perché è vantaggiosa.

Come ho detto prima, esistono cose che fanno bene e cose che fanno male alla salute: è indispensabile sapere quali cibi mangiare; che il fuoco a volte riscalda, altre volte ustiona; e che l'acqua può dissetare ma anche affogare. Eppure le cose non sono affatto così semplici: certe droghe, ad esempio, aumentano il nostro coraggio e danno sensazioni piacevoli, ma il loro abuso continuato nel tempo può essere dannoso. *Per certi versi* fanno bene, per altri fanno male: sono utili e dannose nello stesso tempo.

4

Nel campo delle relazioni umane queste ambiguità sono anche più frequenti. In generale la bugia è una cosa negativa, perché distrugge la fiducia nella parola data — e tutti abbiamo bisogno di comunicare per vivere in una società — e rende le persone nemiche; a volte però sembra che sia utile o produttivo mentire per ottenere qualche piccolo vantaggio. O magari per fare un favore a qualcuno. Per esempio: a chi è affetto da un cancro incurabile è meglio dire la verità sul suo stato o è preferibile ingannarlo per lasciargli vivere serenamente le sue ultime ore? La bugia non ci è utile, è una brutta cosa, ma a volte sembra dare risultati positivi.

Già abbiamo detto che non conviene cercare la rissa, ma allora dobbiamo permettere che una ragazza sia violentata davanti a noi senza intervenire per evitare problemi? D'altra parte quelli che dicono sempre la verità sono antipatici a tutti — ma proprio a tutti — e chi interviene come Indiana Jones per salvare la ragazza aggredita è più probabile che si ritrovi con la testa rotta di chi se ne torna a casa fischiettando. Le cose sbagliate a volte risultano più o meno positive e le cose giuste a volte sono all'apparenza del tutto negative. Che confusione!

Saper vivere non è così facile perché esistono criteri diametralmente *opposti* riguardo a quello che bisogna fare. In matematica o in geografia ci sono gli esperti e gli ignoranti, e in genere gli esperti si trovano quasi sempre d'accordo sui principi fondamentali. Quanto al saper vivere invece non c'è affatto unanimità. Se uno vuole una vita emozionante può dedicarsi alla Formula Uno o all'alpinismo; se preferisce una vita tranquilla e senza rischi farà meglio a cercarsi le avventure nel videoclub all'angolo. Alcuni giurano che la cosa più nobile è vivere per gli altri, altri dicono che conviene convincere gli altri a vivere per noi. Secondo certa gente la cosa più importante è guadagnare, altri sostengono che i soldi senza salute, tempo libero, affetti sinceri e serenità d'animo non valgono nulla. Medici rispettabili consigliano di rinunciare all'alcol e al fumo per allungarsi la vita; fumatori e ubriaconi rispondono che senza questi vizi la vita sembrerebbe certamente troppo lunga. E così via.

A prima vista l'unica cosa su cui siamo tutti d'accordo è che non siamo tutti d'accordo. Ma guarda che queste opinioni diverse coincidono anche in un altro punto: quello che sarà la nostra vita, almeno *in parte*, è il risultato di ciò che ognuno di noi vuole. Se la vita fosse qualcosa di completamente determinato, un destino immodificabile, tutte queste disquisizioni non avrebbero alcun senso. Nessuno sta a discutere se le pietre debbano cadere verso il basso o verso l'alto: si sa che cadono dall'alto in basso, e basta. I castori costruiscono dighe nei ruscelli, le api fanno arnie esagonali: non esistono castori che tentino di costruire alveari, né api che si dedichino all'ingegneria idraulica. Ogni animale, nel suo ambiente naturale, sa perfettamente ciò che è bene e ciò che è male per lui, senza discussioni né dubbi. Gli animali, in natura, non sono né *buoni* né *cattivi*, anche se forse la mosca considera cattivo il ragno che tesse la tela e se la mangia. Ma il ragno non può farci proprio nulla.

Voglio raccontarti un caso drammatico. Conosci certamente le termiti, formiche bianche che vivono in Africa e costruiscono formicai alti parecchi metri e duri come la pietra, impressionanti. Dato che il corpo delle termiti è molle, privo della corazza di cheratina che protegge altri insetti, il formicaio serve da scudo collettivo contro certe formiche nemiche armate meglio.

A volte però qualcuno di questi formicai viene distrutto da un'inondazione o da un elefante (non c'è niente da fare, agli elefanti piace grattarsi contro i formicai). Immediatamente le termiti operaie si mettono al lavoro in fretta e furia per ricostruire la fortezza danneggiata. E le enormi formiche avversarie si lanciano all'attacco. Le termiti soldato escono fuori per difendere la tribù e cercano di fermare le nemiche. Dato che non possono competere con quelle né per dimensioni né per armamento, si aggrappano alle assalitrici e cercano di frenare, per quanto è possibile, la loro marcia, mentre le feroci mandibole di quelle le fanno a pezzi. Intanto le operaie lavorano sveltissime e cercano di chiudere il termitaio appena distrutto... ma così facendo lasciano *fuori* le povere, eroiche, termiti soldato, che si sacrificano per la salvezza delle altre. Non meriterebbero almeno una medaglia? Non è giusto dire che sono *valorose*?

Cambio scena, ma non argomento. Nell'*Iliade* Omero racconta la storia di Ettore, il miglior guerriero di Troia, che aspetta a piè fermo fuori dalle mura della sua città Achille, furioso campione degli Achei, pur sapendo che questi è più forte di lui e che probabilmente lo ucciderà. Lo fa per compiere il suo dovere che consiste nel difendere la sua famiglia e i suoi concittadini dal terribile assalitore. Nessuno dubita che Ettore sia un eroe, un valoroso. Ma mi domando: è eroico e valoroso come le termiti soldato? Le loro gesta, ripetute milioni di volte, nessun Omero si è disturbato a raccontarle. In fin dei conti Ettore non fa esattamente come qualsiasi anonima termite? Perché il suo valore ci sembra più autentico e *difficile* di quello degli insetti? Che differenza c'è tra un caso e l'altro?

È semplice. Le termiti soldato lottano e muoiono perché *devono* farlo, non hanno scelta (come il ragno che deve per forza mangiarsi la mosca). Ettore invece esce dalla città per affrontare Achille perché *vuole*. Le termiti soldato non possono disertare né ribellarsi né darsi malate per mandare qualcun altro al loro posto:

7

sono state *programmate* dalla natura per compiere l'eroica missione.

Il caso di Ettore è ben diverso. Potrebbe dire che è malato o che non ha voglia di affrontare uno più forte di lui. Forse i suoi concittadini gli darebbero del vigliacco, direbbero che ha faccia tosta o gli chiederebbero se ha un altro piano per fermare Achille, ma insomma non c'è dubbio che può rifiutarsi di fare l'eroe. Per quante pressioni gli altri facciano su di lui potrebbe sempre fuggire dal suo presunto dovere: non è *programmato* per fare l'eroe, come nessun altro uomo. È per questo che il suo comportamento ha valore e Omero racconta con emozione le sue gesta epiche. A differenza delle termiti diciamo che Ettore è *libero* e per questo ammiriamo il suo valore.

E così siamo arrivati alla parola chiave: *libertà*. Gli animali (e non dico i minerali o le piante) non possono fare altro che essere come sono, e fare ciò per cui la natura li ha programmati. Non si possono criticare né applaudire per quello che fanno: *non saprebbero comportarsi in altro modo*. Questa predisposizione obbligatoria risparmia loro senz'altro molti mal di testa.

In certa misura anche gli uomini sono programmati dalla natura. Siamo fatti per bere acqua e non candeggina, e nonostante tutte le precauzioni, prima o poi dobbiamo morire. In modo meno imperativo, ma simile, è determinante la programmazione *culturale*: il nostro pensiero è determinato dal linguaggio che gli dà forma (il linguaggio ci viene imposto dall'esterno e non l'abbiamo inventato noi per il nostro uso personale); veniamo educati in base a certe tradizioni, abitudini, moduli di comportamento, leggende... in poche parole fin dalla culla ci viene inculcata la *fedeltà* a certe cose e non ad altre. Tutto questo ha un certo peso e fa sì che siamo abbastanza prevedibili. Per esempio, prendiamo Ettore, quello di cui abbiamo appena parlato: la sua naturale predisposizione lo portava a sentire il bisogno di protezione, rifugio e collaborazione, tutte cose che bene o male trovava a Troia. Era naturale anche che provasse affetto per sua moglie Andromaca — che gli offriva una compagnia piacevole — e per il suo figlioletto Astianatte verso il quale aveva legami di attaccamento biologico. Per cultura si sentiva parte di Troia e condivideva la lingua, i costumi e le tradizioni dei Troiani. Inoltre, fin da piccolo lo avevano educato a essere un buon guerriero al servizio della sua città e gli avevano detto che la vigliaccheria è una cosa abominevole, indegna di un uomo. Sapeva che se avesse tradito la sua gente, l'avrebbero disprezzato e in un modo o nell'altro punito. Insomma, anche lui era programmato in buona misura per agire come agì. Eppure... Eppure avrebbe potuto dire: andate al diavolo! Si sarebbe potuto travestire da donna e fuggire da Troia durante la notte o fingersi malato o pazzo per non combattere, o inginocchiarsi di fronte ad Achille e aiutarlo a entrare a Troia dal lato più debole. Poteva mettersi a bere o inventare una nuova religione che diceva che non bisogna lottare contro i nemici ma porgere l'altra guancia quando ci schiaffeggiano.

Mi dirai che tutti questi atteggiamenti sarebbero stati un po' *strani*, visto chi era Ettore e quale educazione aveva ricevuto. Ma devi riconoscere che non sono ipotesi *impossibili*; mentre un castoro che fabbrichi alveari o una termite che diserta non sono cose strane ma semplicemente impossibili.

Con gli uomini non si può mai essere completamente sicuri, con gli animali e con gli altri esseri naturali invece sì. Per quanta programmazione biologica o culturale possiamo avere noi uomini abbiamo sempre la possibilità di optare per qualcosa che non è previsto dal programma (o almeno non *del tutto*). Possiamo dire «sì» o «no», voglio o non voglio. Per quanto possiamo essere spinti dalle circostanze non abbiamo mai di fronte *un solo* cammino ma diversi.

Quando parlo di *libertà* mi riferisco a questo: quello che ci distingue dalle termiti e dalle maree, da tutto ciò che si muove in modo necessario e immodificabile. Non dico che possiamo fare *qualsiasi cosa vogliamo*, ma neppure siamo obbligati a fare una cosa sola. Qui conviene stabilire un paio di punti fermi sulla libertà:

Primo: Non siamo liberi di scegliere *quello che ci succede* (essere nati il tal giorno, da certi genitori, in un dato paese, avere il cancro, essere investiti da un'automobile, essere belli o brutti, che gli Achei vogliano conquistare la nostra città, eccetera), ma siamo liberi di *rispondere a quello che ci succede in un modo o nell'altro* (obbedire o ribellarci, essere prudenti o rischiare, vendicarci o rassegnarci, vestirci alla moda o travestirci da orsi, difendere Troia o fuggire, eccetera);

Secondo: Essere liberi di *tentare* di fare qualcosa, non ha niente a che vedere col *riuscirci* necessariamente. La libertà (che consiste nello scegliere tra possibilità) non s'identifica con l'onnipotenza (che sarebbe ottenere sempre quello che uno vuole anche se sembra impossibile). Perciò quanto più abbiamo *capacità* di agire, migliori saranno i risultati che potremo ottenere dalla nostra libertà. Sono libero di voler salire sull'Everest, ma con la mia salute precaria e la mia totale impreparazione è praticamente impossibile che possa raggiungere l'obiettivo. Invece sono libero di leggere o non leggere perché l'ho imparato da bambino e la cosa non mi risulta troppo difficile. Ci sono cose che dipendono dalla mia volontà (e questo è essere libero), ma non *tutto* dipende dalla mia volontà (sennò sarei onnipotente), perché nel mondo ci sono molte altre volontà e molte altre necessità che non controllo a mio piacere. Se non conosco né me stesso né il mondo in cui vivo la mia libertà si *scontrerà* prima o poi contro la necessità. Ma, cosa importante, non per questo smetterò di essere libero... anche se mi scoccia.

In realtà ci sono molte forze che *limitano* la nostra libertà: terremoti, malattie, tiranni. Ma anche la nostra libertà è una forza nel mondo, la *nostra* forza. Se parli con la gente ti renderai conto che la maggior parte ha più coscienza di quello che ne limita la libertà che della libertà stessa. Ti diranno: «Libertà? Ma di che libertà parli? Come si fa a essere liberi se ti mangiano il cervello con la tv, se i politici ci ingannano e ci manipolano, se i terroristi ci minacciano, se le droghe ci rendono schiavi, e se non ho neanche i soldi per comprarmi la moto che vorrei?». Se ci rifletti un momento, ti renderai conto che quelli che parlano così sembra che si lamentino, ma in realtà sono ben contenti di sapere che non sono liberi. In fondo pensano: «Uh! Bel peso che ci siamo tolti di dosso! Dato che non siamo liberi non abbiamo *colpa* di quello che ci succede...».

Ma io sono sicuro che nessuno — proprio *nessuno* — crede davvero di non essere libero, nessuno accetta di funzionare come il cieco meccanismo di un orologio o come una termite. Siccome optare liberamente per certe cose in certe circostanze è molto *difficile* (entrare in una casa in fiamme per salvare un bambino, per esempio, o opporsi con fermezza a un tiranno) allora è meglio dire che non c'è libertà per non dover riconoscere che si preferisce fare quello che è più facile: aspettare i pompieri o leccare le scarpe a chi ci schiavizza. Però nel fondo qualcosa non smette di dirci: «Se tu avessi voluto...».

Quando uno insiste nel negare che gli uomini siano liberi ti consiglio di usare questa prova. Nell'antichità un filosofo romano discuteva con un amico il quale negava la libertà dell'essere umano e giurava che gli uomini non hanno scelta se non fare quello che fanno. Il filosofo prese un bastone e cominciò a picchiarlo con tutta la sua forza: «Smetti! Basta! Non mi bastonare più!», diceva l'altro. E il filosofo, senza smettere di bastonarlo, continuò la sua argomentazione: «Non dici forse che non sono libero e che devo fare per forza quello che faccio? Allora non sprecare il fiato a chiedermi di smettere: sono automatico». E il filosofo continuò a bastonare l'amico fino a che questi non riconobbe che poteva liberamente smettere. La prova è buona, ma usala solo in casi estremi e sempre con amici che non conoscano le arti marziali...

In sintesi: a differenza di altri esseri, viventi o inanimati, noi uomini possiamo *trovare soluzioni nuove e scegliere* almeno parzialmente la nostra forma di vita. Possiamo optare per quello che ci sembra essere giusto, e cioè conveniente per noi, ed evitare quello che sembra farci del male o non convenirci. Ma siccome possiamo scegliere, possiamo anche *sbagliarci*, cosa che non succede ai castori, alle api e alle termiti. Perciò sembra meglio riflettere bene su quello che facciamo e cercare di acquisire un certo saper vivere che ci permetta di scegliere bene. Questo saper vivere, o *arte di vivere* se preferisci, è ciò che chiamiamo *etica*. Di questo, se hai pazienza di leggere, parleremo nelle prossime pagine.

## Vatti a leggere...

«E se invece depongo lo scudo convesso e l'elmo pesante, se appoggio al muro la lancia e vado incontro al nobile Achille, se gli prometto di restituire agli Atridi Elena — che se la riportino indietro — e con lei tutti i tesori, tutti quelli che Alessandro portò a Troia sulle concave navi — e fu l'inizio della contesa — se prometto di far parte agli Achei di tutto ciò che possiede questa città, facendo giurare agli anziani di non nascondere nulla, ma di dividere proprio tutti i beni che la nostra bella città racchiude fra le sue mura... Ma che cosa mi suggerisce il mio animo?» (*Iliade*, libro XXII, vv.

111-122; trad. it. di M.G. Ciani, Marsilio, Venezia 1990, pp. 909-11).

«La libertà non è una filosofia e neppure un'idea: è un movimento della coscienza che ci porta, in certi momenti, a pronunciare due monosillabi: Sì e No. Nella loro brevità, istantanea come la luce del lampo, si dipinge il segno contraddittorio della natura umana» (Octavio Paz, *L'altra voce*).

«La vita dell'uomo non può 'venir vissuta' ripetendo il pattern della sua specie; è *lui* che deve vivere. L'uomo è l'unico animale che può *annoiarsi*, che può essere *scontento*, che può sentirsi scacciato dal paradiso» (Erich Fromm, *Dalla parte dell'uomo. Indagine sulla psicologia della morale*, Astrolabio, Roma 1971).

# 2
## Ordini, abitudini e capricci

Ti ricordo in breve dove siamo arrivati. È chiaro che ci sono cose che sono convenienti per vivere e altre che non lo sono, ma non è sempre chiaro quali. Anche se non possiamo decidere noi ciò che ci succede, possiamo scegliere cosa fare di fronte a quello che ci succede. Senza falsa modestia, il nostro caso è più vicino a quello di Ettore che a quello delle benemerite termiti... Quando facciamo qualcosa, lo facciamo perché *preferiamo* fare questo piuttosto che altro, o perché preferiamo farlo piuttosto che non farlo. Ma allora si può dire che facciamo sempre quello che vogliamo? Non proprio, ragazzo mio. A volte le circostanze ci impongono di scegliere tra due opzioni che non abbiamo scelto: cioè ci sono occasioni in cui scegliamo anche se avremmo preferito non dover scegliere.

Uno dei primi filosofi che si è occupato di questa faccenda, Aristotele, immaginò il seguente esempio. Una nave trasporta un carico importante da un porto ad un altro. A metà del tragitto viene sorpresa da una violenta tempesta. Sembra che l'unico modo di salvare la nave e l'equipaggio sia gettare a mare il carico, che oltre a essere importante è molto pesante. Il comandante della nave si pone il seguente problema: «Devo gettare via le merci o rischiare di affrontare la tempesta col carico nella stiva, sperando che il tempo migliori e che la nave resista?». Evidentemente se getta a mare il

15

carico lo fa perché *preferisce* fare questo piuttosto che affrontare il rischio, ma non sarebbe giusto affermare che *vuole* gettarlo. Quello che *vuole* davvero è arrivare in porto con la nave, l'equipaggio e le merci: è questo ciò che gli conviene di più. Tuttavia, date le circostanze burrascose, preferisce salvare la sua vita e quella dell'equipaggio piuttosto che salvare il carico, per prezioso che sia. Magari non si fosse alzata quella maledetta tempesta! Ma la tempesta non è oggetto di scelta, gli si impone, *succede* che lo voglia o no; quello che può scegliere invece è come comportarsi nel pericolo che lo minaccia. Se getta il carico in mare lo fa volontariamente... ma allo stesso tempo senza volerlo. Vuole vivere, salvarsi, salvare i suoi uomini che dipendono da lui, e salvare la nave; ma non vorrebbe restare senza il carico e senza il guadagno che rappresenta, e quindi non ci rinuncerà che a denti stretti. Preferirebbe senza dubbio non trovarsi di fronte al dilemma di dover scegliere tra la perdita dei suoi beni e quella della sua vita. Però non ha alternative e deve decidersi: sceglierà quello che desidera di *più*, quello che gli sembra più conveniente. Potremmo dire che è libero in quanto non gli resta altro che esserlo, libero di fare la sua opzione in circostanze che non ha scelto di affrontare.

Quasi tutte le volte che ci troviamo a riflettere su quello che faremmo in situazioni difficili o importanti siamo in una condizione simile a quella del comandante di cui parla Aristotele. Certo, non sempre le cose sono tanto brutte. A volte le circostanze sono meno drammatiche e se ti faccio solo esempi con ciclone incorporato potresti ribellarti come quell'apprendista pilota. Il suo istruttore di volo gli chiese: «Lei sta volando, arriva improvvisamente una tempesta e le blocca il motore. Che deve fare?». E l'allievo rispose: «Continuo con l'altro motore». «Bene — disse l'istruttore — ma arriva un'altra tormenta e le guasta anche il secondo motore. Come se la cava?». «Beh, azionerò il motore di riserva». «Anche questo va in avaria per un'altra tormenta. E allora?». «Continuerò con un altro motore». «Vediamo un po' — ribatte l'istruttore — si può sapere da dove li tira fuori tutti questi motori?». E l'allievo, imperturbabile: «Dallo stesso posto dove lei prende le tempeste». Ma lasciamo perdere il tormento delle tormente e vediamo cosa serve quando fa bel tempo.

In genere non si passa tutto il tempo pensando a quello che conviene o non conviene fare. Fortunatamente la vita non sempre ci mette alle strette come il comandante della povera nave di cui abbiamo parlato. Per essere sinceri, dobbiamo riconoscere che la maggior parte delle nostre azioni sono quasi automatiche, le compiamo senza stare a girare tanto attorno al problema. Ricorda insieme a me, per favore, quello che hai fatto stamattina. A un'ora indecente, era prestissimo, ha suonato la sveglia e tu, invece di sbatterla contro il muro come avresti voluto, hai spento la suoneria. Sei rimasto un pochino tra le lenzuola, cercando di goderti gli ultimi preziosi momenti di comodità orizzontale. Poi hai pensato che si stava facendo troppo tardi e che il tuo autobus non aspetta, per cui ti sei alzato con santa rassegnazione. Lo so che non ti piace troppo lavarti i denti, ma dato che io insisto tanto sei andato sbadigliando all'appuntamento con spazzolino e dentifricio. Ti sei fatto la doccia quasi senza rendertene conto perché fa parte della routine di tutte le mattine. Poi hai bevuto il caffellatte e hai mangiato pane tostato e burro come tutti i giorni. Quindi fuori di càsa. Mentre andavi verso la fermata del bus ripassando mentalmente i problemi di matematica — non era oggi l'interrogazione? — distrattamente hai dato un calcio a una lattina vuota di Coca-Cola. Poi l'autobus, la scuola, eccetera...

17

Non credo francamente che tu abbia fatto ognuna di queste azioni solo dopo angosciose meditazioni: «Mi alzo o non mi alzo? Faccio la doccia o non la faccio? Faccio colazione o no? questo è il dilemma!».

L'angoscia del povero comandante sul punto di affondare, che tenta di decidere in tutta fretta se gettare a mare il carico o no, assomiglia ben poco alle tue decisioni sonnolente di questa mattina. Hai agito in modo quasi istintivo, senza porti troppi problemi. In fondo è più comodo e più efficace, no? A volte rimuginare troppo su quello che si deve fare può essere paralizzante. È come quando cammini: se ti metti a guardarti i piedi e a dire «adesso il destro, poi il sinistro, eccetera», è sicuro che inciampi o che finisci per fermarti. Ma io vorrei che ora, retrospettivamente, tu ti domandassi quello che non ti sei domandato stamattina. E cioè: *perché* ho fatto quello che ho fatto? Perché questo gesto e non piuttosto il contrario o magari un altro qualsiasi?

Immagino che questa indagine ti farà un po' spazientire. Dài! Perché devi alzarti alle sette e mezza, lavarti i denti e andare a scuola? Proprio io te lo domando! Io che pretendo che tu lo faccia e ti rompo le scatole in mille modi, con minacce o promesse, per obbligarti! Se tu rimanessi a letto farei scoppiare un casino! È chiaro che alcuni dei gesti rassegnati come lavarti o mangiare li fai senza pensare a me, perché sono cose che si fanno sempre quando uno si alza, lo fanno tutti, no? È come mettersi i pantaloni invece di uscire in mutande anche se fa molto caldo...

E per il fatto di prendere l'autobus, beh, non hai alternativa per arrivare in orario, perché la scuola è troppo lontana per andarci a piedi e non sono così splendido da pagarti un taxi andata e ritorno tutti i giorni. E il calcio alla lattina? Ecco, questo lo fai perché sì. Perché hai voglia di farlo.

Vediamo un po' più in dettaglio i diversi motivi che guidano i tuoi comportamenti mattutini. Già sai che cosa è un «motivo» nel senso che la parola riceve in questo contesto: è la ragione che hai, o almeno credi di avere, per fare qualcosa; la spiegazione più accettabile che trovi della tua condotta quando ci rifletti un po'. In una parola: la migliore risposta che ti viene in mente alla domanda «perché faccio questo?». Bene, uno dei motivi delle tue azioni è che io ti dico di fare la tal cosa. E questi motivi li chiameremo *ordini*. Altre volte il motivo è che sei abituato a fare sempre quel tal gesto, lo ripeti senza pensarci e vedi che intorno a te tutti si comportano così abitualmente: questo insieme di motivi li chiameremo proprio *abitudini*. In altri casi — la pedata alla lattina, per esempio — il motivo sembra essere l'assenza di motivi, quello di cui hai voglia, il puro desiderio. Sei d'accordo a chiamare il perché di questi comportamenti *capriccio*? Lascio da parte i motivi più brutalmente *funzionali*, quelli cioè che ti inducono a quei gesti che compi unicamente come mezzo per ottenere qualcos'altro: scendere le scale per arrivare in strada anziché saltare dalla finestra, prendere l'autobus per andare a scuola, usare una tazza per bere il caffellatte, eccetera.

Ci limiteremo a esaminare i primi tre tipi di motivi, e cioè gli ordini, le abitudini e i capricci. Ciascuno di essi *spinge* la tua condotta in una direzione o nell'altra, spiega più o meno la tua *preferenza* per cui fai ciò che fai e non una delle tante altre cose che potresti fare. La prima domanda che mi viene in mente è: in che modo e con quanta forza ciascuno di questi motivi ti obbliga ad agire? Non tutti hanno lo stesso peso in tutte le circostanze. Alzarti per andare a scuola è più *obbligatorio* di lavarti i denti e farti la doccia e ancor più di dare calci alla lattina di Coca-Cola; invece metterti i pantaloni, o almeno i boxer se fa molto caldo, è altrettanto obbligatorio che andare a scuola, o no? Quello che voglio dirti è che ogni tipo di motivo ha il suo peso e ti condiziona a suo modo. Gli ordini, per esempio, prendono forza, almeno in parte, dalla paura che hai delle terribili rappresaglie che metterò in atto se non mi obbedisci; ma anche, suppongo, dall'*affetto* e dalla *fiducia* nei miei confronti, che ti spingono a pensare che quello che ti ordino è per proteggerti e migliorarti o, come si suol dire con un'espressione che ti fa storcere il naso, *per il tuo bene*. Poi certamente ti aspetti una qualche ricompensa se obbedisci come si deve: la tua paghetta settimanale, dei regali, eccetera. Le abitudini, invece, sono conseguenza della *comodità* di agire per routine in certe circostanze e dell'interesse a non contrariare gli altri, cioè della pressione esercitata dalla gente. Anche nelle abitudini c'è una specie di obbedienza a certi tipi di ordini: pensa alla *moda*, per fare un altro esempio. Quanti giubbotti, scarpe, borchie devi metterti perché anche i tuoi amici li portano e non vuoi stonare!

Gli ordini e le abitudini hanno una cosa in comune: sembra che vengano dal di *fuori*, che si impongano senza chiedere il permesso. Invece i capricci ti vengono dal di *dentro*, spuntano spontaneamente senza che nessuno te lo ordini e senza imitare nessuno. Immagino che se ti chiedo quand'è che ti senti più libero, se quando ubbidisci agli ordini, quando segui le abitudini o quando assecondi un capriccio, mi dirai che sei più libero quando agisci secondo il capriccio, perché è una cosa più tua, che non dipende da nessun altro che da te. Però magari il cosiddetto capriccio ti stuzzica perché imiti qualcuno o forse sgorga da un ordine *al rovescio*, per spirito di contraddizione, un desiderio che non ti sarebbe nato senza quell'ordine precedente al quale disubbidisci... Insomma, per ora lasciamo le cose come stanno, ce n'è già abbastanza.

Ma prima di smettere, salutiamoci ricordando un'altra volta quella nave greca nella tempesta di cui parlava Aristotele. Dato che abbiamo cominciato tra onde e tuoni possiamo terminare nello stesso modo, così il capitolo avrà capo e coda. Quando lo abbiamo lasciato, il capitano della nave stava decidendo se gettare o no il carico in mare per evitare il naufragio. Certamente ha l'ordine di portare le merci in porto, l'abitudine non gli dice di gettarle in mare e, nel casino in cui si trova, lo aiuterebbe poco seguire il suo capriccio. Seguirà gli ordini anche a costo di perdere la vita e di sacrificare tutto l'equipaggio? Avrà più paura della collera dei suoi capi che del mare in tempesta? In circostanze normali fare ciò che ci ordinano può bastare, ma a volte è più prudente chiedersi fino a che punto sia consigliabile obbedire... Dopo tutto il capitano non è come le termiti che devono fare i kamikaze, lo vogliano o no, perché devono per forza «obbedire» all'istinto naturale.

Nella situazione in cui si trova se gli ordini non bastano, l'abitudine serve ancor meno. L'abitudine è utile per le cose d'ordinaria amministrazione, per la routine quotidiana. Francamente una tempesta in alto mare non è il momento più adatto per affidarsi alla routine. Tu pure ti metti religiosamente le mutande e i pantaloni tutte le mattine, ma se scoppiasse un incendio e non ne avessi il tempo non ti sentiresti granché in colpa. Qualche anno fa, durante il grande terremoto in Messico, un mio amico vide crollare davanti ai suoi occhi un edificio a più piani e accorse per prestare soccorso. Cercava di tirar fuori dalle macerie una delle vittime che inspiegabilmente si rifiutava di uscire, finché confessò: «È che non ho nulla addosso...». Premio speciale della giuria per la difesa fuori luogo del perizoma! Tanto conformismo, di fronte al costume diffuso, risulta un po' patologico, no?

Possiamo supporre che il nostro capitano greco fosse un uomo pragmatico, e che l'abitudine di conservare il carico non fosse sufficiente a determinare il suo comportamento in caso di pericolo. Ma neppure a gettarlo in mare, anche se nella maggior parte dei casi sarebbe stato normale disfarsene. Quando le cose diventano serie bisogna *inventare* e non semplicemente affidarsi alla moda o all'abitudine...

Non è opportuno neppure abbandonarsi ai capricci. Se ti dicessero che quel capitano gettò il carico non perché lo riteneva prudente ma per capriccio (o che lo conservò nella stiva per lo stesso motivo), che cosa penseresti di lui? Rispondo al tuo posto: che era un po' *pazzo*. Rischiare la fortuna o la vita senza altro movente che il capriccio puzza di fesseria, e se la stravaganza compromette le fortune o la vita del prossimo merita di essere giudicata anche più duramente. Come potrebbe essere arrivato a comandare una nave tanto importante se è un tipo capriccioso e irresponsabile? Durante una tempesta le persone sane lasciano da parte tutti i capriccetti e non hanno che un desiderio, azzeccare la linea di condotta più conveniente, cioè più razionale.

Si tratta allora di un semplice problema *funzionale*, trovare il modo migliore per arrivare sani e salvi in porto? Supponiamo che il capitano arrivi alla conclusione che per salvarsi basta gettare *un certo peso* in mare, siano merci o membri dell'equipaggio. Potrebbe tentare di convincere i marinai a gettare in mare i quattro o cinque più inutili tra loro, in modo da avere l'opportunità di conservare i guadagni dell'armatore. Da un punto di vista funzionale magari è questa la migliore soluzione per salvare la pelle e il guadagno... Eppure c'è qualcosa di ripugnante in questa decisione, e immagino che anche per te sarà così. Forse perché mi hanno imposto di non fare queste cose, o perché non ho l'abitudine di farle o semplicemente perché non ho voglia (sono così capriccioso)... Scusa la suspense degna di Hitchcock, ma non ti dirò che cosa ha deciso di fare alla fine il nostro confuso capitano. Magari azzeccasse e trovasse vento favorevole fino a casa! La verità è che quando penso a lui, mi rendo conto che siamo tutti sulla stessa barca...

Per ora resteremo con le domande che ci siamo posti e aspetteremo che venti favorevoli ci portino fino al prossimo capitolo, dove le troveremo di nuovo e cercheremo di cominciare a rispondere.


## Vatti a leggere...

«Quindi anche la virtù dipende da noi e parimenti anche il vizio. In ciò infatti in cui il fare dipende da noi, anche il non fare dipende da noi; e dove sta in noi il non fare, vi sta anche il fare cosicché se dipende da noi il fare il bene, dipenderà da noi anche il non fare il male, e se sta in noi il non fare il bene, starà in noi anche il fare il male» (Aristotele, *Etica Nicomachea*, Laterza, Roma-Bari 1983).

«Nell'*arte di vivere*, l'uomo è insieme l'artista e l'oggetto della sua arte; lo scultore è il marmo, il medico è il paziente» (Erich Fromm, *Dalla parte dell'uomo* cit.).

«Noi abbiamo solo quattro principi di morale:

1) quello *filosofico*: fa' il bene per se stesso, per rispetto alla legge;

2) quello religioso: fallo perché è la volontà del Signore, per amore di Dio;

3) quello umano: fallo perché aumenta la felicità, per amor proprio;

4) quello politico: fallo perché giova al benessere della società della quale tu sei una parte, per amore della società con riguardo a te stesso» (Georg C. Lichtenberg, *Osservazioni e pensieri*, Einaudi, Torino 1966).

«Non dobbiamo cercare di vivere a lungo, ma di vivere bene: giacché il vivere a lungo dipende dal destino, il vivere bene dall'animo. La vita è lunga se è piena; diviene piena quando l'animo è riuscito a procurarsi il suo bene e ad acquistare il dominio su se stesso» (Seneca, *Lettere a Lucilio*, a cura di U. Boella, Utet, Torino 1983[2], p. 691).

# 3

## *Fa' ciò che vuoi*

Prima stavamo dicendo che la maggior parte delle cose le facciamo perché siamo costretti (dai genitori quando siamo piccoli, dai superiori o dalla legge quando diventiamo adulti); perché si usa fare così (a volte la routine ce la impongono gli altri con il loro esempio e le loro pressioni — paura del ridicolo, censura, pettegolezzi, desiderio di essere accettati nel gruppo... — e altre volte ce la creiamo da noi); perché sono un mezzo per arrivare a quello che vogliamo (come prendere l'autobus per andare a scuola); o semplicemente perché ci gira così, per capriccio, senza un'altra ragione.

Ma succede che in occasioni importanti, o quando prendiamo sul serio quello che stiamo per fare, tutte queste motivazioni normali risultino poco soddisfacenti: dài, non sanno di nulla, come si suol dire.

Quando uno deve uscire a rischiare la pelle sotto le mura di Troia, sfidando l'attacco di Achille come fece Ettore; oppure quando bisogna decidere se buttare a mare il carico per salvare l'equipaggio o gettare a mare qualche uomo dell'equipaggio per salvare il carico; oppure in casi simili anche se un po' meno drammatici (un esempio facile facile: devo votare il politico che considero migliore per la maggioranza dei cittadini del paese, anche se pregiudicherà con l'aumento di tasse i miei interessi personali, oppure appoggiare quello che mi permette di arricchirmi più comodamente e che gli altri siano fregati?): ordini e abitudini non bastano e il capriccio non serve a niente. Il comandante nazista del campo di concentramento, accusato del genocidio di migliaia di ebrei, tenta di giustificarsi dicendo che ha «obbedito agli ordini», però questa giustificazione non mi convince; in certi paesi c'è l'abitudine di non affittare appartamenti ai neri per il colore della pelle, o agli omosessuali per le loro preferenze in amore, ma sebbene questa discriminazione faccia parte del costume continua a sembrarmi inaccettabile; il desiderio di andare a passare qualche giorno al mare è pienamente comprensibile, però se uno ha un bebè a carico e lo lascia solo per tutto il fine settimana, un simile capriccio non è simpatico ma criminale. Non sei d'accordo con me su questi casi?

Tutti questi esempi hanno a che fare con il problema della *libertà*, che è la questione di cui si occupa specificamente l'etica, come credo di averti già detto.

Libertà è poter dire «sì» o «no», lo faccio o non lo faccio, dicano quello che vogliono i miei capi e gli altri; questo mi conviene e lo voglio, quello non mi conviene e dunque non lo voglio. Libertà è *decidere*, ma anche, non dimenticarlo, *renderti conto* che stai decidendo. Niente di più diverso dal *lasciarsi andare*, come puoi capire. E per evitare di lasciarti andare non puoi fare altro che tentare di pensare almeno due volte a quello che stai per fare; sì, due volte, mi dispiace, anche se ti verrà il mal di testa... La *prima* volta che pensi al motivo della tua azione, la risposta alla domanda «perché faccio questo?» è del tipo di quelle che abbiamo studiato ultimamente: lo faccio perché me lo ordinano, per abitudine, perché ne ho voglia. Ma se ci pensi per una *seconda* volta, la cosa cambia. Questo lo faccio perché me lo impongono, ma... perché ubbidisco? per paura della punizione? nella speranza di avere un premio? non sono un po' *schiavo* di chi mi comanda? Se obbedisco perché chi mi dà gli ordini ne sa più di me, non sarebbe il caso che cercassi di informarmi in modo da poter decidere da solo? E se mi ordinano di fare cose che non mi sembrano *convenienti*, come quando ordinarono al comandante nazista di eliminare gli ebrei nel campo di concentramento? Non può esserci per caso qualcosa di «malvagio» — cioè di non conveniente per me — anche tra le cose che mi ordinano, o qualcosa di «buono» e conveniente anche se nessuno me lo ordina?

Lo stesso succede con le abitudini. Se rifletto su ciò che faccio una volta sola, forse mi basta la risposta che agisco così «per abitudine». Ma perché diavolo devo fare sempre quello che si fa in genere (o che io di solito faccio)? Neanche fossi schiavo di quelli che mi circondano, per quanto siano miei amici, o di quello che ho fatto ieri, l'altro ieri e il mese passato! Se vivo circondato da gente che discrimina i neri e a me non sembra affatto giusto, perché li devo imitare? Se ho preso l'abitudine di farmi prestare dei soldi e non restituirli, però mi vergogno ogni volta di più, perché mai non posso cambiare la mia condotta e cominciare a essere più corretto d'ora in avanti? Un'abitudine, per quanto radicata sia, non può essere poco conveniente per me?

Risultato simile quando mi interrogo per la seconda volta sui miei capricci. Molto spesso ho voglia di fare cose che mi si rivolgono contro, delle quali mi pento subito. Nelle faccende senza importanza il capriccio può anche essere accettabile, ma quando si tratta di cose più serie può risultare poco consigliabile e persino pericoloso lasciarsi trascinare senza riflettere se si tratti di un capriccio conveniente o sconveniente: passare al semaforo col rosso una o due volte può anche essere divertente, ma riuscirò a diventare vecchio se lo faccio sistematicamente ogni giorno?

In sintesi: ordini, abitudini e capricci possono essere

a volte motivi adeguati per agire, ma in altri casi non c'è ragione perché sia così. Sarebbe un po' idiota voler disubbidire a tutti gli ordini, agire contro tutte le abitudini e opporsi a tutti i capricci, perché a volte risulteranno convenienti e gradevoli. *Però un'azione non è mai giusta solo in quanto è un ordine, un'abitudine o un capriccio.*

Per sapere se una cosa è davvero conveniente per me, devo esaminare più a fondo quello che faccio, ragionando da solo. Nessuno può essere libero al mio posto, ossia: nessuno può dispensarmi dallo scegliere e dal cercare da solo. Quando siamo piccoli, immaturi e sappiamo poco della vita e della realtà, sono sufficienti l'obbedienza, la routine e il capriccetto. Ma questo perché ancora dipendiamo da qualcuno, siamo in mano a qualcun altro che ci protegge. Poi bisogna diventare adulti, cioè capaci di *inventare* in un certo senso la propria vita e non semplicemente di vivere quella che altri hanno inventato per noi. Naturalmente non possiamo inventarci completamente, perché non viviamo soli e molte cose ci si impongono, che lo vogliamo o no (ricordati che il povero comandante non scelse di affrontare una tempesta in alto mare, né Achille chiese a Ettore il permesso di attaccare Troia…). Però tra gli ordini che ci danno, le abitudini che ci troviamo intorno o che ci creiamo da noi, e i capricci che ci assalgono, dovremmo imparare a scegliere da soli.

Non c'è alternativa, se vogliamo essere uomini e non agnellini (e mi scusino gli agnellini) dobbiamo pensare due volte a quello che facciamo. E se proprio vuoi saperlo anche tre o quattro volte in certe occasioni speciali. Etimologicamente la parola «morale» ha a che fare con le abitudini (è proprio questo, infatti, il significato del latino *mores*), e con gli ordini, dato che la maggior parte dei precetti morali suona così: «devi fare la tal cosa» o «non ti passi per la testa di fare la tal altra». Eppure, come abbiamo visto, ci sono abitudini e ordini che possono essere *cattivi*, ossia «immorali», per quanto ci si presentino sotto forma di ordini o di usi accettati. Se vogliamo approfondire seriamente le questioni di cui si occupa la morale, se veramente vogliamo imparare come usare la libertà che abbiamo (precisamente in questo apprendimento consiste la «morale» o «etica» di cui stiamo parlando) è meglio lasciar perdere ordini, abitudini e capricci.

La prima cosa che bisogna mettere in chiaro è che l'etica per un uomo libero non ha nulla a che vedere con punizioni e premi distribuiti dall'autorità, umana o divina che sia fa lo stesso. Colui che si limita a sfuggire alla punizione e cercare la ricompensa che altri gli offrono, in base a norme stabilite da costoro, non è che un povero schiavo. Forse a un bambino bastano il bastone e la carota come guida di condotta, ma per chi è cresciuto è piuttosto triste continuare con questa mentalità. Bisogna orientare il comportamento diversamente. A proposito: un chiarimento terminologico. Io utilizzerò le parole «morale» ed «etica» come equivalenti, però da un punto di vista tecnico (scusa se uso un tono più professorale del solito) non hanno lo stesso significato. «Morale» è l'insieme di comportamenti e norme che tu, io e alcuni di coloro che ci circondano consideriamo in genere come validi; «etica» è la riflessione sul *perché* li consideriamo validi e il paragone con altre «morali» di altre persone diverse. Io però continuerò a usare una parola o l'altra indifferentemente, come *arte di vivere*. Mi perdonino gli esperti...

Ti ricordo che le parole «buono» (o bravo) e «cattivo» non si applicano solo a comportamenti morali e neanche esclusivamente a persone. Si dice, per esempio, che Maradona o Butragueño come calciatori sono molto bravi, senza che questo aggettivo abbia a che fare con la loro tendenza ad aiutare il prossimo fuori dello stadio e con il fatto che dicono sempre la verità. Sono bravi in quanto calciatori, senza indagare sulla loro vita privata. Si può dire anche di una moto che è molto buona, e non significa che la consideriamo la Santa Teresa delle motociclette: vogliamo dire che funziona stupendamente e che ha tutti i vantaggi che si possono chiedere a una moto. Quando si parla di calciatori o di moto, ciò che è buono — ciò che conviene — è abbastanza chiaro. Sono sicuro che se te lo chiedo mi sai spiegare benissimo quali sono i requisiti necessari per applicare l'etichetta di eccellente sul terreno di gioco o su strada. E allora dico io: perché non tentiamo di definire nello stesso modo quello che serve per essere un *uomo* buono? Non ci risolverebbe tutti i problemi che stiamo affrontando già da un numero sufficiente di pagine?

Però non è una cosa tanto facile. Sui buoni calciatori, le moto, i cavalli da corsa, eccetera, di solito la maggior parte della gente è d'accordo, ma quando si tratta di stabilire se qualcuno è buono o cattivo in generale, come essere umano, le opinioni variano molto. Per esempio c'è il caso di Purita: sua madre a casa la considera il «non plus ultra» della bontà, perché è obbediente e precisina; ma in classe tutti la detestano, perché è pettegola e intrigante. Sicuramente per i suoi superiori l'ufficiale nazista che mandava alla camera a gas gli ebrei ad Auschwitz era bravo e si comportava come si deve, ma le sue vittime dovevano avere su di lui un'opinione un po' diversa. A volte dire di qualcuno che è «buono» non significa nulla di buono: al punto che si dicono spesso cose come «Il Tale è proprio buono, poveretto!».

Il poeta spagnolo Antonio Machado era cosciente di questa ambiguità e nella sua autobiografia poetica ha scritto: «Sono buono, nel senso buono della parola...». Si riferiva al fatto che, in molti casi, si dice che uno è «buono» perché è docile, cerca di non contrariare nessuno, di non creare problemi, cambia i dischi mentre gli altri ballano e cose del genere.

Per certa gente essere buono significherà dunque essere docile e paziente, ma altri definiranno buona una persona piena di spirito d'iniziativa, originale, che non si tira indietro al momento di dire quello che pensa, anche se questo può dare fastidio a qualcuno. In un paese come il Sudafrica, per esempio, certi considereranno buono il nero che non rompe le scatole e accetta l'apartheid, mentre altri chiameranno così solo i seguaci di Nelson Mandela.

E sai perché non è semplice dire quando un essere umano è «buono» e quando non lo è? Perché gli esseri umani non sappiamo a che cosa serviamo.

Un calciatore serve per giocare a calcio, deve far vincere la sua squadra segnando gol all'avversario; una moto serve a trasportarci velocemente, deve essere stabile e resistente... Sappiamo quando uno specialista di qualcosa o uno strumento *funzionano* come si deve, perché abbiamo un'idea del servizio che devono prestare, di quello che ci si aspetta da loro. Ma se prendiamo l'essere umano in generale la cosa si complica: dagli uomini si pretende a volte rassegnazione, a volte ribellione; a volte che prendano l'iniziativa, a volte che ubbidiscano; a volte che siano generosi e altre volte che siano previdenti, e così via.

Non è facile neanche determinare le caratteristiche di una singola virtù: va sempre bene quando un calciatore infila un gol nella porta avversaria senza commettere fallo, invece dire la verità non sempre va bene. Diresti che è buono chi, per crudeltà, dice al moribondo che sta per morire o chi dice all'assassino dove si nasconde la vittima che vuole uccidere? Le funzioni e gli strumenti rispondono a norme di utilità abbastanza chiare, stabilite dall'esterno: se si rispettano, bene, sennò male e basta. Non si chiede altro.

Nessuno pretende che un calciatore — per essere un buon calciatore, non un *essere umano* buono — faccia la carità o sia sincero; nessuno chiede a una moto, perché sia una buona moto, che serva anche a battere i chiodi. Però quando si prendono in considerazione gli esseri umani in generale, la cosa non è più così chiara, perché non c'è una *regola* unica per essere un buon essere umano e l'uomo non è uno *strumento* per fare qualcosa.

Si può essere un uomo buono (e una donna buona, chiaramente) in molti modi, e le opinioni in base a cui si giudicano i comportamenti di solito variano a seconda delle circostanze. Per questo a volte diciamo che Tizio o Sempronia sono buoni «a modo loro». Così ammettiamo che ci sono molti modi di esserlo, e che tutto dipende dall'ambito in cui ciascuno si muove.

*Da fuori* non è facile stabilire chi è buono e chi è cattivo, chi fa ciò che è giusto e chi no. Bisognerebbe studiare non solo tutte le circostanze di ogni singolo caso, ma anche le *intenzioni* che spingono ognuno ad agire. Potrebbe succedere che a uno che aveva intenzione di fare del male venisse fuori un risultato, per puro caso, buono. Ma qualcuno che fa qualcosa di buono e giusto senza volerlo non lo diremmo «buono», vero? Oppure il contrario: con le migliori intenzioni di questo mondo, qualcuno potrebbe provocare un disastro ed essere reputato un mostro senza averne colpa. Mi dispiace, ma mi sa che su questa strada ci confonderemo solo le idee.

Abbiamo già detto che né ordini né abitudini né capricci bastano a guidarci sul terreno dell'etica, e adesso risulta che non c'è una regola chiara che insegni a essere un uomo buono e a funzionare sempre come tale. Allora come la mettiamo? Ti risponderò in un modo che sicuramente ti sorprenderà o forse ti scandalizzerà. Un divertentissimo scrittore francese del XVI secolo,

François Rabelais, in uno dei primi romanzi della letteratura europea, raccontò le avventure del gigante Gargantua e di suo figlio Pantagruele. Potrei dirti molte cose su questo libro, ma preferisco che prima o poi tu ti decida a leggertelo per conto tuo. Ti dirò soltanto che a un certo punto Gargantua decide di fondare un ordine più o meno religioso e installarlo in un'abbazia, l'abbazia di Thélème, sulla cui porta c'è scritto quest'unico precetto: «Fa' quello che vuoi». E tutti gli abitanti di questa santa casa non fanno altro che questo, precisamente ciò che vogliono.

Che penseresti se ti dicessi che sulla porta dell'etica ben interpretata non c'è scritto altro che questa stessa consegna: *fa' quello che vuoi*? Forse ti indignerai: è davvero *morale* la conclusione a cui siamo arrivati! Che casino se tutti quanti facessero né più né meno ciò che vogliono! Per questo abbiamo perso tanto tempo e ci siamo spremuti il cervello? Aspetta, aspetta, non ti arrabbiare. Dammi un'altra *chance*: fammi il favore di passare al capitolo seguente...

## Vatti a leggere...

«Tutta la loro vita si svolgeva non secondo leggi, statuti o regole, ma secondo il volere di ciascuno, il loro libero arbitrio. Si levavano da letto quando loro piaceva; bevevano, mangiavano, lavoravano, dormivano, quando ne avevano voglia; nessuno li svegliava, nessuno li forzava a bere o mangiare o a fare qualsiasi altra cosa. Così aveva stabilito Gargantua. La regola del convento era racchiusa in un solo articolo:

### FA' CIÒ CHE VUOI

Giacché gli uomini liberi, ben nati e bene educati, avvezzi alle oneste compagnie, hanno di lor natura (ed è ciò che i Telemiti chiamavano onore) un istinto, uno stimolo che sempre li spinge ad azioni virtuose e li tiene lontani dal vizio; mentre allorché, per vile soggezione o per violenza, sono oppressi e asserviti, volgono la nobile inclinazione per la quale spontaneamente tendevano alla virtù, ad abbattere ed infrangere quel giogo; perché, se vi è un'azione proibita, è quella che noi intraprendiamo e, per tutto ciò che ci è negato, ci struggiamo di desiderio» (François Rabelais, *Gargantua e Pantagruele*, trad. it. di A. Frassineti, Rizzoli, Milano 1984, vol. I, p. 291).

«L'etica *umanistica*, contrapposta all'etica autoritaria, può distinguersi da essa in base a un criterio formale e ad uno materiale. *Formalmente* essa si fonda sul principio che l'uomo soltanto può determinare il criterio della virtù e del peccato, e non un'autorità che lo trascenda. Sul piano *materiale*, si fonda sul principio che 'bene' è ciò che è bene per l'uomo, e 'male' ciò che per l'uomo è nocivo; *unico criterio del valore etico essendo il benessere umano*» (Erich Fromm, *Dalla parte dell'uomo* cit., p. 20).

«Ma per quanto la ragione, se pienamente sviluppata, sia sufficiente per istruirci delle tendenze dannose o utili di qualità ed azioni; essa non basta da sola a produrre qualche biasimo o qualche approvazione morale. L'utilità è soltanto una tendenza a un certo fine; e se il fine ci fosse del tutto indifferente, noi proveremmo la stessa indifferenza nei riguardi dei mezzi per conseguirlo. Qui occorre che si affermi un *sentimento*, affinché si dia una preferenza alle tendenze utili rispetto a quelle dannose. Questo sentimento non può essere che una sensibilità per la felicità degli uomini ed un risentimento nei confronti della loro infelicità, giacché questi sono i diversi fini che la virtù ed il vizio tendono a promuovere. Qui dunque la *ragione* ci insegna a che cosa tendono le azioni e il *senso di umanità* opera una distinzione in favore di quelle che sono utili e benefiche» (David Hume, *Ricerca sui principi della morale*, in *Opere filosofiche*, vol. II, Laterza, Roma-Bari 1987, p. 302).

# 4

## *Cerca di vivere bene*

Cosa voglio dirti ponendo il precetto «fa' quello che vuoi» come postulato fondamentale di questa etica che stiamo mettendo insieme a tentoni? Semplicemente (anche se temo che poi le cose non siano tanto semplici come sembra) che bisogna lasciare da parte ordini e abitudini, premi e punizioni, in una parola tutto ciò che ti dirige dal di fuori; e che devi porti il problema da solo di fronte al tribunale interno della tua volontà. Non chiedere a nessuno come devi gestire la tua vita: chiedilo a te stesso. Se desideri sapere come impiegare al meglio la tua libertà, non perderla mettendoti al servizio di un altro o di altri, per buoni, saggi e rispettabili che siano: sul modo di usare la tua libertà interroga la libertà stessa.

Siccome sei un ragazzo sveglio probabilmente ti sarai già reso conto che qui c'è una certa contraddizione. Se ti dico «fa' quello che vuoi» sembra che in qualche modo ti stia dando un ordine, «fai questo e non altro», anche se ti impongo di agire liberamente. Che ordine complicato se lo esaminiamo da vicino! Se obbedisci, lo disobbedisci (perché non fai quello che vuoi, ma quello che voglio io che ti dò l'ordine); se disobbedisci, obbedisci (perché fai quello che vuoi invece di fare quello che io ti ordino... ma è esattamente questo che ti sto ordinando!).

Credimi, non voglio costringerti a risolvere un rompicapo tipo quei passatempi che si trovano sul giornale. Anche se cerco di dirti queste cose sorridendo, per evitare che ci annoiamo più del necessario, il problema è serio: non si tratta di *passare* il tempo ma di *viverlo* bene. L'apparente contraddizione insita in questo «fa' quello che vuoi» non è che il riflesso del problema essenziale della libertà stessa: vale a dire che non siamo liberi di non essere liberi, che non abbiamo altra via d'uscita che esserlo.

E se mi dici che basta così, che sei stufo e non vuoi continuare a essere libero? Se decidi di venderti come schiavo al miglior offerente o di giurare obbedienza eterna e assoluta a un tiranno qualsiasi? Beh, lo farai perché lo vuoi, usando la tua libertà e anche se ubbidisci ad altri o ti lasci trascinare dalla massa comunque continuerai ad agire come preferisci: non rinuncerai a scegliere ma avrai scelto di non scegliere da solo. Per questo un filosofo francese del nostro secolo, Jean-Paul Sartre, ha detto che «siamo condannati a *essere* liberi». E per questa condanna non c'è amnistia...

Insomma, il mio «fa' quello che vuoi» non è altro che un modo di dirti di prendere sul serio il problema della tua libertà, e che nessuno può esonerarti dalla responsabilità *creativa* di scegliere la tua strada. Non chiederti in modo troppo morboso se vale la pena di fare tutto questo casino per la libertà; che tu lo voglia o no sei libero, che tu lo voglia o no devi *volere*. Anche se dici che non vuoi saper nulla di questi argomenti tanto seccanti e mi chiedi di lasciarti in pace, starai volendo... volendo non saper nulla, volendo che ti lascino in pace anche a costo di rimbecillirti un po' o tanto. «Così è l'amore», amico mio, come dice la poesia! E così è il volere. Però non confondiamo questo «fa' quello che vuoi» con i *capricci* di cui abbiamo parlato prima. Una cosa è che tu faccia «quello che vuoi», un'altra, ben diversa, che tu faccia «la prima cosa che ti viene in mente». Non dico che in certe occasioni non possa essere sufficiente la pura e semplice voglia di qualcosa: per scegliere cosa mangiare al ristorante, per esempio. Dato che fortunatamente hai uno stomaco robusto e non hai paura di ingrassare, va bene, ordina quello che ti va... Ma attenzione, perché con la voglia si può perdere tutto. Segue esempio.

Non so se hai letto la Bibbia. È piena di cose interessanti e non c'è bisogno di essere molto religioso — sai bene, anzi, che io lo sono ben poco — per apprezzarla. Nel primo dei libri che la compongono, il *Genesi*, si racconta la storia di Esaù e Giacobbe, figli di Isacco. Erano gemelli, ma Esaù era uscito per primo dal ventre della madre e dunque aveva diritto alla primogenitura: essere il primogenito, a quei tempi, non era cosa da poco, perché significava essere destinato a ereditare tutte le ricchezze e i privilegi del padre. Esaù era un tipo avventuroso e amava andare a caccia, mentre Giacobbe preferiva rimanere a casetta cucinando ogni tanto qualche manicaretto. Un certo giorno Esaù tornò dalla campagna stanco e affamato. Giacobbe aveva preparato una succulenta zuppa di lenticchie e suo fratello, solo a sentire l'odorino del sugo, aveva l'acquolina in bocca. Gli venne una gran voglia di mangiare e chiese a Giacobbe se lo invitava. Il fratello cuoco gli rispose che lo faceva con molto piacere, ma non gratuitamente, in cambio voleva il diritto alla primogenitura. Esaù pensò: «Adesso mi vanno le lenticchie. L'eredità di mio padre verrà tra molto tempo. E poi chissà, magari muoio io prima di lui!». E accettò di scambiare i suoi futuri diritti di primogenito con le succulente lenticchie del presente. Che profumo meraviglioso dovevano avere! Inutile dire che più tardi, a pancia piena, si pentì del pessimo affare che aveva fatto e questo creò non pochi problemi tra i fratelli (sia detto con il dovuto rispetto, ma ho sempre avuto l'impressione che Giacobbe fosse un gran filibustiere). Se vuoi sapere come va a finire la storia, leggiti il *Genesi*. Per quello che ci interessa qui è sufficiente ciò che ti ho detto.

Dato che ti vedo un po' inquieto, non mi meraviglierei se tu tentassi di usare questa storia contro quello che cerco di dimostrare: «Non mi raccomandavi quel bel precetto del 'fa' quello che vuoi'? Ecco: Esaù voleva la minestra, riuscì a ottenerla e alla fine restò senza eredità. Proprio un bel successo!». Sì, certo. Ma erano proprio le lenticchie ciò che Esaù desiderava davvero in quel momento? In fondo essere il primogenito a quell'epoca era molto redditizio, mentre le lenticchie: si possono prendere o lasciare... È logico pensare che quello che Esaù voleva veramente fosse la primogenitura, un diritto destinato a migliorargli molto la vita in un futuro più o meno lontano. Naturalmente aveva anche voglia di mangiare la minestra, ma se si fosse scomodato a pensare un po' si sarebbe reso conto che questo secondo desiderio poteva aspettare per non rovinare la possibilità di ottenere ciò che era veramente fondamentale.

A volte noi uomini vogliamo cose che sono in contraddizione, che entrano in conflitto tra loro. È importante essere capaci di stabilire le priorità, una certa gerarchia tra quello che improvvisamente mi va e quello che voglio alla lunga, più profondamente. Provate a chiederlo a Esaù...

Nel racconto biblico c'è un dettaglio importante. Quello che spinge Esaù a scegliere la zuppa presente rinunciando all'eredità futura è l'ombra della morte o, se preferisci, la preoccupazione per la brevità della vita. «Dato che so che morirò certamente e forse prima di mio padre... perché girare tanto intorno a quello che ora mi viene comodo? Adesso voglio le lenticchie, domani magari sarò morto, perciò lenticchie e basta!». È come se la certezza della morte spingesse Esaù a pensare che non «vale la pena» di vivere, che una cosa vale l'altra. Ma quello che rende le cose indifferenti non è la vita, è la morte.

Pensaci bene: *per paura della morte, Esaù decise di vivere come se fosse già morto e una cosa valesse l'altra*. La vita è fatta di tempo, il nostro presente è pieno di ricordi e speranze, ma Esaù vive come se per lui non vi fosse altra realtà che l'odore delle lenticchie che gli arriva in questo momento al naso, senza ieri né domani. Ancora: la nostra vita è fatta di relazioni con gli altri — siamo padri, figli, fratelli, amici o nemici, eredi, eccetera — ma Esaù decide che le lenticchie (che sono una *cosa*, non una *persona*) contano di più per lui di questi vincoli con gli altri che lo rendono ciò che è. E adesso una domanda: Esaù fa davvero quello che vuole, o forse la morte lo *ipnotizza*, paralizzando e distruggendo la sua volontà?

Lasciamo Esaù con i suoi capricci culinari e le sue beghe di famiglia e torniamo al tuo caso, che è quello che ci interessa. Se ti dico di fare quello che vuoi, ti conviene innanzitutto pensare con attenzione e a fondo che cosa vuoi. Senza dubbio desideri molte cose, spesso in contraddizione, come capita a tutti quanti: vuoi una moto però non vuoi romperti il collo per strada, vuoi avere degli amici ma senza perdere la tua indipendenza, ti piace avere dei soldi ma non vuoi farti schiavizzare dagli altri per ottenerli, vuoi sapere tante cose, e quindi capisci che bisogna studiare, ma vuoi anche divertirti, vuoi che io non rompa le scatole e ti lasci vivere in pace, ma anche che io sia lì ad aiutarti quando ne hai bisogno, eccetera. Insomma, se tu dovessi riassumere tutte queste cose e tradurre in parole sincere il tuo desiderio di fondo, mi diresti così: «Vedi, papà, quello che voglio è *vivere bene*».

Bravo, un premio al signore! È proprio questo che volevo consigliarti: quando ti ho detto «fa' quello che vuoi», quello che in fondo avevo la pretesa di raccomandarti è che devi osare vivere bene. E, se è lecito, non badare alla gente triste o troppo felice: l'etica non è altro che il tentativo razionale di indagare su come vivere meglio. Se vale la pena di interessarsi di etica è perché ci piace vivere bene. Solo chi è nato per essere schiavo o chi ha tanta paura della morte da credere che una cosa vale l'altra si dedica alle lenticchie e vive come capita...

Vuoi vivere bene: perfetto. Ma vuoi anche che questa vita non sia quella del cavolfiore o dello scarafaggio, con tutto il rispetto per entrambe le specie, ma una vita *umana*. È quello che ti spetta, credo. E sono sicuro che non ci rinunceresti per nulla al mondo. Essere umano, già lo abbiamo accennato prima, consiste principalmente nell'avere relazioni con altri esseri umani. Se potessi avere moltissimi soldi, una casa più lussuosa di un palazzo da mille e una notte, i vestiti più belli, i cibi più squisiti (moltissime lenticchie!), gli apparecchi più sofisticati, eccetera, ma tutto ciò a costo di non vedere più nessun essere umano e non essere più considerato da nessuno, saresti contento? Quanto tempo potresti vivere così senza *impazzire*? Non è la peggiore delle follie volere le cose *a prezzo* delle relazioni con le persone? Eppure tutte queste cose ti permettono — o sembrano permetterti — di avere rapporti più facili con gli altri! Per mezzo del denaro si crede di poter abbagliare o comprare gli altri, i vestiti ci rendono attraenti o ci fanno invidiare, e così la bella casa, i vini migliori, eccetera. Senza parlare degli apparecchi: la tv e il videoregistratore servono a vedere meglio, il compact a sentire meglio e così via. Ma poche cose restano belle quando siamo da soli; e se la solitudine è completa e definitiva, tutte le cose si guastano irrimediabilmente. La vita umana è buona *tra esseri umani*, o altrimenti può essere vita, ma non sarà né buona né umana. Cominci a capire dove voglio arrivare?

Le cose possono essere buone o utili, gli animali (alcuni almeno) risultano simpatici, ma gli uomini vogliono essere umani, non utensili né bestie. E vogliono anche essere *trattati* come esseri umani, perché il fatto di esserlo dipende in buona misura da come ci comportiamo gli uni con gli altri.

Mi spiego: la pesca nasce pesca, il leopardo quando viene al mondo è già leopardo, ma l'uomo non nasce già uomo del tutto, e non arriva mai a esserlo se gli altri non lo aiutano. Perché? Perché l'uomo non è solamente una realtà biologica, naturale (come le pesche o i leopardi) ma anche una realtà culturale. Non c'è umanità senza apprendistato culturale e, in primo luogo, senza la base di ogni cultura (e fondamento della nostra umanità): il linguaggio. Il mondo in cui noi esseri umani viviamo è un mondo fatto di linguaggio, una realtà fatta di simboli e leggi senza cui non solo non saremmo capaci di comunicare tra noi ma neanche potremmo captare il *significato* di ciò che ci circonda. Nessuno però può imparare a parlare da solo (come potrebbe imparare a mangiare o a pisciare — scusa il termine — da solo), perché il linguaggio non è una funzione naturale, biologica, dell'uomo (anche se, ovviamente, ha la sua base nella nostra biologia) ma una creazione culturale che ereditiamo e impariamo da altri uomini.

Per questo parlare a qualcuno e ascoltarlo significa trattarlo come persona, iniziare a trattarlo da essere umano. Certo, è solo un primo passo, perché la cultura nella quale ci umanizziamo gli uni con gli altri parte dal linguaggio, ma non è semplicemente linguaggio. Ci sono altri modi di dimostrare che ci *riconosciamo* come esseri umani: forme di rispetto e attenzioni che abbiamo gli uni verso gli altri e che ci umanizzano. Tutti vogliamo essere trattati così e se non avviene protestiamo. Per questo le ragazze si lamentano di essere trattate come donne-oggetto, cioè soprammobili o strumenti; e per questo quando insultiamo qualcuno lo chiamiamo «animale!», come per avvertirlo che si sta allontanando dal comportamento dovuto tra uomini e che, se continua così, lo ripagheremo con la stessa moneta.

La cosa più importante, in questo campo, mi sembra questa: che l'umanizzazione (cioè quello che ci trasforma in esseri umani, in ciò che vogliamo *essere*) è un processo *reciproco* (come lo stesso linguaggio, te ne rendi conto?). Perché gli altri possano umanizzarmi, io devo umanizzare loro; se per me tutti sono come cose o bestie, neanche io sarò qualcosa di meglio di una bestia o di una cosa. Per questo *cercare di vivere bene* non può essere molto diverso, in fondo, da *far vivere bene gli altri*. Pensaci un po' su, per favore.

Riprenderemo questo problema più avanti. Ora, per concludere questo capitolo in modo più rilassante, ti propongo di andare al cinema. Se vuoi possiamo vedere un film bellissimo, diretto e interpretato da Orson Welles: *Quarto potere*. Ti ricordo la trama in breve: Kane è un miliardario senza scrupoli che ha raccolto nel suo palazzo di Xanadu una enorme collezione di tutte le cose più belle e preziose del mondo. Senza dubbio ha di tutto, e usa per i suoi scopi, come semplici strumenti della sua ambizione, tutti coloro che lo circondano. Alla fine della sua vita passeggia da solo per i saloni pieni di specchi che gli riflettono la sua immagine di solitario: solo la sua immagine gli fa compagnia. Muore mormorando una parola: «Rosebud!». Un giornalista cerca di indovinare il significato di questo ultimo gemito, ma non ci riesce. In realtà «Rosebud» è la marca scritta su uno slittino con cui Kane giocava da bambino, all'epoca in cui viveva ancora circondato di affetto e dava affetto a quelli che stavano intorno a lui. Tutte le sue ricchezze e tutto il potere accumulato sugli altri non erano riusciti a comprargli niente di meglio che quel ricordo infantile. Quello slittino, simbolo di rapporti umani pieni di dolcezza, era ciò che Kane voleva veramente, la *vita buona* che aveva sacrificato per ottenere milioni di cose che in realtà non gli servivano a nulla. Eppure quasi tutti lo invidiavano... Vieni, andiamo al cinema. Continueremo domani.

## *Vatti a leggere...*

«Una volta Giacobbe aveva cotto una minestra di lenticchie; Esaù arrivò dalla campagna ed era sfinito. Disse a Giacobbe: "Lasciami mangiare un po' di questa minestra rossa, perché io sono sfinito" — per questo fu chiamato Edom. Giacobbe disse: "Vendimi subito la tua primogenitura". Rispose Esaù: "Ecco sto morendo: a che mi serve allora la primogenitura?". Giacobbe allora disse: "Giuramelo subito". Quegli lo giurò e vendette la primogenitura a Giacobbe. Giacobbe diede a Esaù il pane e la minestra di lenticchie; questi mangiò e bevve, poi si alzò e se ne andò. A tal punto Esaù aveva disprezzato la primogenitura» (*Genesi*, XXV, 29-34).

«Forse l'uomo è cattivo perché per tutta la vita non fa che aspettare la morte; e così muore mille volte nella morte degli altri uomini e delle cose. Così qualsiasi animale che sia cosciente di essere in pericolo di vita diventa pazzo. Pazzo di paura, astuzia, perfidia, un pazzo che fugge, un pazzo servile o furioso, pieno di odio, imbroglione, assassino» (Tony Duvert, *Abbecedario malevolo*).

«L'uomo libero non pensa a niente meno che alla morte; e la sua sapienza è meditazione non della morte ma della vita» (Baruch Spinoza, *Etica*, Parte quarta, Proposizione 67, Boringhieri, Torino 1973[7], p. 276).

«L'uomo libero è colui che esercita senza arbitrio la propria volontà. Egli crede nella realtà, ovvero nel legame tra la dualità reale Io e Tu. Egli crede in qualcosa che determina la sorte degli uomini, e che questo qualcosa abbia bisogno di lui... qualunque cosa debba accadere, accadrà soltanto se le sue decisioni riguarderanno cose che egli può volere» (Martin Buber, *Il principio dialogico*, Edizioni di Comunità, Milano 1958, p. 55).

«Essere capace di aver cura di se stesso è il requisito di base per poter essere capace di aver cura degli altri; sentirsi a proprio agio con se stessi è la condizione necessaria per potersi mettere in relazione con gli altri» (Erich Fromm, *Dalla parte dell'uomo* cit.).

# 5

## *Sveglia, baby!*

Breve riassunto delle puntate precedenti. Esaù il cacciatore, convinto che per quel poco che gli resta da vivere una cosa vale l'altra, segue il consiglio dello stomaco e rinuncia alla primogenitura per un buon piatto di lenticchie (anzi due, almeno in questo Giacobbe fu generoso e gli fece fare il bis). Dal canto suo, Kane si dedicò quasi tutta la vita a vendere persone per comprare cose; ma alla fine dei suoi giorni si rese conto che, potendo, avrebbe cambiato il magazzino stracolmo di cose costose con un solo, semplice, oggetto — un vecchio slittino — che gli ricordava qualcuno: se stesso, prima che si dedicasse al commercio, quando ancora preferiva amare ed essere amato piuttosto che possedere e comandare.

Sia Esaù che Kane erano convinti di fare *ciò che volevano*, ma nessuno dei due — mi sembra — riuscì a *vivere bene*. Eppure, se tu avessi domandato loro che cosa veramente desideravano, avrebbero risposto proprio come te (o come me): voglio una *vita buona*.

Insomma, è abbastanza chiaro ciò che vogliamo (cioè «vivere bene»), però non è altrettanto chiaro in che cosa consista. Difatti il bene non s'identifica con un singolo oggetto del desiderio, per esempio lenticchie, quadri, elettrodomestici o soldi. Questi sono tutti desideri *semplici*, si limitano a un solo aspetto della realtà, sono irrelati. Ovviamente non c'è niente di male a desiderare lenticchie quando si ha fame: ma nel mondo ci sono altre cose, altre relazioni; che so, la coerenza con le scelte del passato, per esempio, o i progetti per il futuro. Insomma molto di più, tutto quello che ti viene in mente.

In poche parole, non di sole lenticchie vive l'uomo. Per un piatto di lenticchie Esaù ha sacrificato troppi aspetti importanti della sua vita, semplificandola eccessivamente. Ma agì, come ti ho spiegato, spinto dall'idea di una morte imminente, e la morte semplifica tutto. Quando stai per tirare le cuoia sono poche le cose che contano (la medicina che può salvarti, l'aria che ti consente ancora di riempirti i polmoni). La vita, invece, è sempre complessa e quasi sempre piena di *complicazioni*; se eviti le complicazioni e cerchi le cose facili, ben vengano le lenticchie! Ma non ti illudere di star cercando di vivere meglio e più a lungo, stai solo cercando di abbreviare l'agonia. E abbiamo già detto che quello che vogliamo veramente è una buona vita e non una morte rapida. Esaù, insomma, non ci serve come maestro.

Anche Kane, a suo modo, semplificava le cose. Al contrario di Esaù non sperperava, ma era avido e ambizioso. Desiderava il denaro per comprare molte cose belle (e senza dubbio anche utili) e il potere per esercitare il suo controllo sugli uomini.

Non ho niente, figurati, contro i soldi o contro il gusto per le cose belle e utili, e non mi fido della gente che sostiene di non essere interessata al denaro e che giura di non aver bisogno assolutamente di nulla. Forse sarò fatto male, però non mi piace l'idea di rimanere al verde, e se domani i ladri mi svaligiassero la casa e si portassero via tutti i miei libri (ho paura che non ci sarebbe granché altro da rubare) per me sarebbe un brutto colpo. Però neppure il desiderio di possedere sempre di più (denaro, oggetti, eccetera) mi sembra molto sano. Certo è che le cose che possediamo allo stesso tempo possiedono noi: ciò che possediamo ci possiede.

Chiarisco meglio: una volta, un saggio buddista stava spiegando a un discepolo le stesse cose che ti sto dicendo io e il discepolo lo guardava con la stessa faccia stupita («questo è proprio *partito*») che avrai tu mentre leggi queste pagine. Allora il saggio chiese al discepolo: «Cos'è che ti piace di più in questa stanza?». Il giovane, che era un tipo sveglio, indicò una stupenda coppa d'avorio e oro che doveva valere un sacco di soldi. «Va bene, prendila», disse il saggio, e il ragazzo, senza farselo ripetere due volte, afferrò quel piccolo gioiello con la mano destra. «Attento a non mollarla, eh!», lo mise in guardia con tono ironico il maestro, e poi aggiunse: «E non c'è nient'altro che ti piace?». Il discepolo riconobbe che neppure il sacchetto pieno di monete sonanti che stava appoggiato sul tavolo gli faceva schifo. «Su, forza!», lo incoraggiò l'altro. E il ragazzo impugnò il sacchetto con la mano sinistra. «E adesso?», chiese al maestro un po' innervosito. E il saggio: «Adesso grattati!». Naturalmente non poteva.

Può sempre capitare che uno abbia bisogno di grattarsi quando gli prude da qualche parte il corpo... oppure l'anima! Con le mani occupate non ci si può grattare bene e non si possono fare molti altri gesti. Quello che teniamo stretto ci tiene stretti a sua volta... Voglio dire che bisogna stare attenti a non esagerare.

In un certo senso è proprio questo il caso di Kane: aveva le mani e l'anima occupate a tenere strette le cose che possedeva, a un tratto sentì uno strano prurito e non sapeva come grattarsi.

La vita è più complicata di quello che Kane credeva, perché le mani non servono soltanto per prendere ma anche per grattarsi o per accarezzare. Ma l'errore fondamentale di questo personaggio, se non sono io a sbagliare, fu un altro. Ossessionato dal desiderio di possedere cose e denaro, trattò le persone come se fossero cose. Riteneva in quel modo di avere *potere* su di loro. Grave semplificazione perché la principale complessità della vita consiste proprio in questo, che le persone non sono cose.

All'inizio Kane non ebbe problemi, le cose si comprano e si vendono, e lui comprò e vendette anche le persone. Non gli sembrava che ci fosse molta differenza. Le cose si tengono finché ci servono e poi si buttano, e Kane fece lo stesso con quelli che gli stavano intorno e si sarebbe detto che tutto andava bene. Così come possedeva le cose, Kane si propose di possedere le persone, controllarle e manovrarle come voleva. Fece così con le sue amanti, con gli amici, con i suoi dipendenti, con gli avversari politici, con qualsiasi essere vivente. Senza dubbio fece molto male agli altri, ma la cosa peggiore — dal suo punto di vista (il punto di vista di uno che, secondo la nostra ipotesi, voleva *vivere bene*) — fu che finì per danneggiare seriamente anche se stesso. Cercherò di chiarirti meglio questo punto perché mi sembra essenziale.

Non farti illusioni: da una cosa — sia pure la migliore del mondo — si possono tirar fuori solo *cose*. Nessuna persona è in grado di darti quello che non ha, non è vero? E ancor meno una cosa può darti di più di quello che è.

Le lenticchie servono a sfamarti ma non a imparare il francese, per esempio; il denaro è utile per quasi tutte le necessità eppure non può comprare una vera amicizia (a suon di quattrini si ottengono servilismo, compagnie di scrocconi o sesso mercenario, ma niente di più). Due televisori si possono scambiare un pezzo di ricambio ma non un bacio... se noi uomini fossimo cose, ci basterebbe quello che le cose possono darci, ma è proprio questa la complicazione della quale ti parlavo prima: *siccome non siamo soltanto delle cose, abbiamo bisogno di «cose» che le cose non hanno.*

Quando trattiamo gli altri come oggetti, come faceva Kane, riceviamo in cambio altri oggetti. Se li strizziamo ne escono soldi, ci servono (come se fossero strumenti meccanici), vanno, vengono, si strusciano contro di noi o sorridono quando pigiamo il pulsante giusto... Ma in questo modo non ci regaleranno mai quella dolcezza che solo gli esseri umani sanno dare. Così non avremo né amicizia né rispetto né tantomeno amore. Nessuna cosa e neppure un animale (perché la differenza tra la sua condizione e la nostra è troppo grande) può offrirci quell'amicizia, quel rispetto, quell'amore: insomma, quella *relazione* fondamentale di complicità che si stabilisce solo tra uguali, e che a te, o a me, o a Kane, dato che siamo esseri umani, può venire solo da altri uomini, a patto che li trattiamo come tali.

Questo ultimo punto è molto importante, perché (l'abbiamo già detto) noi esseri umani ci umanizziamo a vicenda. Trattando le persone come tali e non come cose (vale a dire tenendo conto dei loro desideri o dei loro bisogni e non solo cercando di approfittare di loro) creo le condizioni perché anche loro mi diano in cambio quello che solo una persona può dare a un'altra persona.

Kane dimenticò questo piccolo dettaglio, e a un tratto (ma troppo tardi) si rese conto che aveva tutto tranne quello che solo un altro essere umano poteva dargli: stima sincera, affetto spontaneo o, semplicemente, *compagnia intelligente*. Dato che, almeno così sembra, non gli importò mai di nulla fuorché del denaro, a nessuno importava niente di lui, fuorché del suo denaro. E Kane, che non era uno stupido, capiva che era colpa sua. A volte uno può trattare gli altri come persone e non ricevere altro che calci in faccia, tradimenti e soprusi. Ma almeno potrà contare sul rispetto di *una* persona, fosse pure una sola, e cioè se stesso. Non trasformando gli altri in cose difendiamo almeno il nostro *diritto* a non essere considerati dagli altri come cose. Cioè rendiamo possibile il mondo degli esseri umani, il mondo in cui le persone si trattano reciprocamente come tali, l'unico mondo in cui si può veramente *vivere bene*.

Credo che la disperazione di Kane alla fine dei suoi giorni non venisse semplicemente dal fatto di aver perso l'armonia delle relazioni affettive della sua infanzia. Era disperato perché lui stesso, per tutta la vita, non aveva fatto altro che distruggerle. Il problema non è tanto che non ne avesse, quanto piuttosto che si rese conto di non *meritarle*...

Ma tu mi dirai che i miliardi di Kane erano invidiati da moltissima gente. Sicuramente erano in molti a pensare: «Quello là sì che sa vivere!». E allora? Svegliati una buona volta, bambino mio! La gente, dal di fuori, può invidiarci e non sapere che in quel preciso momento stiamo morendo di cancro. Preferisci accontentare gli altri piuttosto che soddisfare te stesso?

Kane ottenne tutto quello che *si dice* renda felice una persona: denaro, potere, relazioni giuste, una corte di gente disposta a servirlo... E alla fine scoprì che, nonostante quello che pensavano gli altri, gli mancava proprio la cosa fondamentale: l'affetto autentico, l'autentico rispetto e l'amore sincero di persone libere, trattate come persone e non come cose.

Tu forse mi dirai che questo Kane è un tipo un po' strano, come quasi tutti i protagonisti dei film. Molti si sarebbero sentiti più che soddisfatti a vivere in un palazzo del genere e con tutto quel lusso. La maggioranza, mi assicurerai cinicamente, non si sarebbe nemmeno ricordata dello slittino «Rosebud». Forse Kane era un po' toccato... Come si fa a stare male con tutte quelle cose! Ma ti ripeto: lascia stare la gente e pensa solo a te stesso. È una vita come quella di Kane che vuoi? Ti accontenteresti del piatto di lenticchie di Esaù?

Aspetta un attimo prima di rispondere. L'etica indaga esattamente questo: che cosa sia, *in fondo*, al di là di quello che ci raccontano o di quello che ci vuol far credere la pubblicità in tv, questa benedetta «vita buona» che ci piacerebbe realizzare. Abbiamo già stabilito che non si può vivere bene senza le cose (abbiamo bisogno delle lenticchie perché contengono il ferro), ma sappiamo anche che non possiamo fare a meno delle persone. Bisogna servirsi delle cose come cose, ma bisogna trattare le persone come persone: in questo modo le cose ci saranno utili in molti aspetti, ma le persone ci daranno qualcosa che nessun oggetto potrà mai darci: l'*umanità*. Chi è il pazzo qui, io o il signor Kane? Forse essere umani non è tanto importante perché già lo siamo, e non abbiamo alternative. Il fatto è che si può *essere* «umano-cosa» o «umano-umano», esseri umani preoccupati solo di accumulare cose — tutte le cose, più sono e meglio è — oppure *essere* umani impegnati a *godere* dell'umanità vissuta insieme agli altri! Non ti svendere, per favore. Le liquidazioni lasciale ai grandi magazzini: è la loro specialità.

Non nego che molti, a un primo esame, potrebbero giudicare poco importanti le cose che sto dicendo. Ma c'è da fidarsi di loro? Sono i più furbi oppure sono semplicemente quelli che prestano meno attenzione alla faccenda più importante, la loro vita? Uno magari è abile a fare affari o in politica, ma può essere un perfetto somaro nelle cose serie, in quello che riguarda il vivere bene.

Kane era abilissimo a far soldi e a manipolare la gente, ma alla fine si rese conto che aveva sbagliato proprio nella cosa fondamentale. Aveva mancato il bersaglio proprio dove era di vitale importanza prendere bene la mira. C'è una parola che mi sembra fondamentale a questo proposito e te la ripeto: *attenzione*. Non mi riferisco a quella del gufo, che non impara a parlare ma sta sempre attento (ti ricorderai sicuramente quella vecchia barzelletta del pappagallo e del gufo), mi riferisco alla tendenza a riflettere su quello che si fa e all'impegno a precisare meglio possibile il significato dell'espressione «vivere bene», la «buona vita» che abbiamo detto di voler vivere. Senza semplificazioni comode ma pericolose, cercando di comprendere tutta la complessità del vivere (umanamente, voglio dire), il che non è da poco.

Credo che la prima condizione dell'etica, una condizione imprescindibile, sia la determinazione a non vivere come capita: la convinzione che non è vero che una cosa vale l'altra, dal momento che tanto, prima o poi, dobbiamo morire. Quando si parla di «morale», la gente di solito pensa a quel sistema di regole e usanze che normalmente si rispettano (almeno in apparenza) spesso senza neppure sapere perché. Ma forse la vera difficoltà sta proprio nel cercare di *comprendere*, anziché nel sottomettersi a un codice di regole o nel fare il contrario di quello che è stabilito (che significa ugualmente sottomettersi a un codice, ma *alla rovescia*). Capire perché certi comportamenti convengono e altri no, capire che cos'è la vita e che cosa può renderla «buona» per noi esseri umani. E, prima di tutto, non accontentarsi di *essere considerato buono*, di *fare bella figura* di fronte agli altri, di prendere la *sufficienza*...

Certamente, per tutto questo non basterà stare attenti come fa il gufo, obbedire ciecamente ai comandi come un robot; bisognerà parlare con gli altri, spiegarsi e stare a sentire le ragioni altrui. Tuttavia lo sforzo di prendere la decisione vera e propria deve farlo ciascuno da solo con se stesso: *nessuno può essere libero al posto tuo*.

Per ora ti lascio con due questioni su cui vorrei che tu rimuginassi un po'. La prima è questa: perché è male ciò che è male? La seconda è anche più carina: che vuol dire trattare le persone come persone? come si fa? Se continuerai ad avere la pazienza di seguirmi, proveremo a rispondere a queste domande nei due capitoli seguenti.

## Vatti a leggere...

«È la debolezza dell'uomo che lo rende socievole; sono le nostre miserie comuni che portano i nostri cuori all'umanità: noi non le dovremmo niente se non fossimo uomini. Ogni affetto è un segno di insufficienza: se ciascuno di noi non avesse nessun bisogno degli altri, non penserebbe affatto a unirsi ad essi. Così dalla nostra infermità stessa nasce la nostra fragile felicità. Un essere autenticamente felice è un essere solitario: solo Dio gode di una felicità assoluta; chi di noi, invece, ha idea di una cosa simile? Se qualcuno, essendo imperfetto, potesse bastare a se stesso, di che cosa godrebbe? Starebbe da solo, sarebbe un infelice. Non posso credere che chi non ha bisogno di niente possa amare qualcosa: e non posso credere che chi non ama nulla possa essere felice» (Jean-Jacques Rousseau, *Emilio*).

«Infatti di quelli la cui povertà di continuo in faccende ha usurpato il nome di ricchezza, si può dire che hanno la ricchezza come di noi si dice che abbiamo la febbre, mentre invece è la febbre che ha noi» (Seneca, *Lettere a Lucilio*, cit., p. 958).

«Dato che la ragione non postula niente contro natura, essa postula allora che ognuno ami se stesso, che ricerchi il suo utile, il suo vero utile, e appetisca tutto ciò che veramente conduce l'uomo a maggiore perfezione, e che assolutamente ognuno si sforzi, per quanto sta in lui, di conservare il suo essere. Il che è necessario allo stesso modo che il tutto è maggiore della somma della sua parte. [...] All'uomo dunque niente è più utile dell'uomo; gli uomini cioè non possono desiderare niente di più efficace alla loro conservazione di questo: che tutti convengano in tutte le cose in modo che le menti e i corpi di tutti vengano quasi a comporre una sola mente e un solo corpo, e che tutti insieme, per quanto possono, si sforzino di conservare il loro essere, e che tutti insieme desiderino per sé l'utile comune. Da tutto ciò segue che gli uomini che si governano con la ragione, cioè gli uomini che ricercano il proprio utile sotto la guida della ragione, non appetiscono per sé niente che non desiderino gli altri uomini, e che perciò essi sono giusti, fedeli, onesti» (Spinoza, *Etica*, Parte quarta, Scolio alla proposizione 18; trad. it. cit., pp. 230-32).

# 6

## Vieni fuori, Grillo parlante

Lo sai qual è l'unico *dovere* che abbiamo nella vita?
Quello di non essere imbecilli. Ma non ti credere, la
parola «imbecille» è più sostanziosa di quello che sembra. Viene dal latino *baculus*, che significa «bastone»,
e l'imbecille è chi ha bisogno del bastone per camminare. Non vogliamo offendere gli zoppi o i vecchietti,
perché il bastone a cui ci riferiamo non è quello che si
usa, molto giustamente, per sostenersi e che aiuta a
camminare un corpo danneggiato da un incidente o
indebolito dall'età. L'imbecille può essere agilissimo e
saltare come una gazzella alle olimpiadi. Non si tratta
di questo, perché è uno che non zoppica nei piedi, ma
nell'animo: è il suo spirito che è debole e zoppetto,
anche se il suo corpo fa giravolte di prima classe.

Esistono vari tipi di imbecilli, a scelta:

a) Quello che crede di non volere nulla, dice che
tutto gli è indifferente, e non fa altro che sbadigliare o
dormicchiare anche se tiene gli occhi aperti e non rus-
sa.

b) Quello che crede di volere tutto, la prima cosa
che gli capita davanti e il suo contrario: andare via e
restare, ballare e rimanere seduto, mangiare l'aglio e
dare baci sublimi, tutto in una volta.

c) Quello che non sa che cosa vuole e non si di-
sturba a cercare di capirlo. Imita i desideri di chi gli sta
vicino oppure sostiene il contrario «perché sì», e tutto

quello che fa è dettato dall'opinione della maggioranza tra quelli che lo circondano: è conformista senza averci riflettuto o ribelle senza motivo.

d) Quello che sa di volere, sa ciò che vuole e, più o meno, sa anche perché, ma senza energia, è pauroso o debole. Alla fine si ritrova sempre a fare quello che non vuole e rimanda a domani quello che vuole, sperando di essere un po' più convinto.

e) Quello che vuole con forza, è aggressivo, non si ferma davanti a niente, ma sbaglia nel giudicare la realtà, si lascia depistare completamente e finisce per scambiare per benessere ciò che lo distrugge.

Ciascuno di questi tipi di imbecillità ha bisogno di un bastone, ossia di appoggiarsi a qualcosa d'altro, qualcosa di esterno che non ha nulla a che vedere con la libertà. Devo dirti pure che gli imbecilli in genere finiscono piuttosto male, checché ne dica la gente. Quando dico che «finiscono male» non voglio dire che li mettono in carcere o che sono inceneriti da un fulmine (questo capita solo nei film), voglio dire che in genere si mettono da soli i bastoni fra le ruote e non riescono mai a star bene nella vita, che è quello che interessa tanto a noi due. Però ti devo anche informare di una cosa: qualche sintomo di imbecillità ce l'abbiamo tutti; e dài, io perlomeno li scopro un giorno sì e l'altro pure, spero che le cose a te vadano meglio... In conclusione: allerta! in guardia! l'imbecillità è in agguato e non perdona!

Ma, per piacere, non confondere l'imbecillità di cui ti parlo con quello che normalmente si dice essere «imbecille», ossia essere tonto, non sapere le cose, non capire niente di trigonometria, non riuscire a imparare il congiuntivo del verbo francese *aimer*. Uno può essere imbecille per la matematica (*mea culpa!*) e non per la morale, cioè per vivere bene. E vale anche il contrario: certi sono furbi come volpi per gli affari ma perfetti cretini per le questioni di etica.

Senza dubbio il mondo è pieno di premi Nobel, bravissimi nel loro campo, ma che inciampano e si danno bastonate nelle questioni che qui ci interessano. Certo, per evitare l'imbecillità, in qualsiasi campo, bisogna fare attenzione, come abbiamo già detto nel capitolo precedente, e fare tutti gli sforzi possibili per imparare. In questo la fisica, l'archeologia e l'etica sono uguali.

Ma vivere bene non è la stessa cosa che sapere quanto fa due più due. Sapere quanto fa due più due è senza dubbio utilissimo, ma per chi è imbecille nelle questioni morali non basta certo questa nozione a salvarsi dal fallimento. A proposito, adesso che ci penso: quanto fa due più due?

L'esatto contrario di essere moralmente imbecille è avere una *coscienza*. Però la coscienza non si vince alla lotteria e non cade dal cielo. Certamente bisogna riconoscere che certe persone hanno fin da piccole miglior «orecchio» etico di altre, un «buon gusto» morale spontaneo. Ma «buon gusto» e «orecchio» possono affinarsi e svilupparsi solo con la pratica (esattamente come l'orecchio musicale e il gusto estetico). E se uno è completamente privo di questo orecchio o gusto in materia di saper vivere? Beh, lo vedo male, figlio mio.

Si possono dare molte ragioni di natura estetica e storica, basate sull'armonia delle forme e dei colori o su quello che ti pare per giustificare il fatto che un quadro di Velázquez ha maggior valore artistico di un disegno delle tartarughe Ninja. Però se dopo tutte queste discussioni uno dice che preferisce le tartarughe a *Las meninas* non c'è niente da fare per convincerlo che sbaglia.

Così se uno non vede niente di male nel fatto di ammazzare a martellate un bambino per rubargli il lecca-lecca, credo che diventeremo rauchi prima di riuscire a convincerlo...

Certo, ammetto che per sviluppare una coscienza

ci vogliono alcune qualità innate, come per apprezzare la musica o l'arte. Immagino che non guastino certi presupposti sociali o economici, perché da chi è stato privato persino del necessario fin dalla culla è difficile pretendere la stessa facilità a comprendere la vita moralmente sana che si può chiedere a chi è stato più fortunato. Se nessuno ti tratta come un *essere umano* non è tanto strano che diventi una bestia... Ma a parte questo requisito minimo credo che tutto il resto dipenda dall'attenzione e dallo sforzo di ciascuno.

In che cosa consiste questa coscienza che ci guarisce dall'imbecillità morale? Fondamentalmente nelle caratteristiche seguenti:

a) Essere consapevoli che non è vero che una cosa vale l'altra, dal momento che vogliamo vivere veramente e vivere bene, *umanamente* bene.

b) Essere disposti a *stabilire* se quello che facciamo corrisponde a quello che veramente vogliamo o no.

c) Sviluppare, con la pratica, il buon gusto morale, in modo tale che certe cose finiscano per provocarci una *repulsione* spontanea (per esempio, mi farà schifo mentire come in genere ci fa schifo fare la pipì nella minestra che stiamo per metterci nel piatto...).

d) Rinunciare a cercare alibi che nascondano il fatto che siamo liberi e dunque ragionevolmente *responsabili* delle conseguenze dei nostri atti.

Come vedi mi limito a descrivere dei comportamenti, non chiamo in causa altra motivazione se non il tuo vantaggio per preferire questo a quello, la coscienza all'imbecillità. Perché è *male* quello che chiamiamo «cattivo»? Perché non consente di vivere bene come abbiamo detto di volere. Allora bisognerebbe evitare il male per una specie di *egoismo*? Né più né meno. In genere la parola «egoismo» ha una pessima reputazione: chiamiamo «egoista» quello che pensa solo a se stesso, che non si preoccupa per gli altri, al punto da danneggiarli tranquillamente se questo gli porta qualche vantaggio.

In questo senso diremmo che Kane era un «egoista» e anche Caligola, l'imperatore romano capace di commettere qualsiasi crimine per soddisfare il più stupido dei suoi capricci. Personaggi come questi sono considerati in genere egoisti (persino dei *mostri* di egoismo) e certamente non si distinguono per una spiccata coscienza etica o per l'impegno a evitare di fare del male...

Siamo d'accordo. Ma veramente sono tanto egoisti come sembra? Chi è il vero egoista? Voglio dire: chi riesce a essere egoista senza essere imbecille? La risposta mi pare ovvia: *quello che vuole il meglio per se stesso*. E qual è il meglio? Ma quello che abbiamo chiamato «vivere bene».

Kane visse bene? Sembra di no, se dobbiamo credere a Orson Welles. Fece di tutto per trattare le persone come cose e così restò privo di quei doni che sono, dal punto di vista umano, le cose più desiderabili nella vita: l'affetto sincero degli altri, l'amicizia senza calcolo. Per non parlare di Caligola. Guarda che vita si è scelto, poveretto! Gli unici sentimenti autentici che era riuscito a suscitare nel suo prossimo erano l'odio e il terrore! Bisogna *essere* imbecilli, moralmente imbecilli voglio dire, per credere che sia meglio vivere circondato dal panico e dalla crudeltà anziché dall'amore e dalla stima! Insomma quello snaturato di Caligola andò a finire che lo fecero fuori le sue stesse guardie, e lo credo! Che schifezza di egoista era se sperava di vivere bene a forza di crudeltà! Se davvero avesse pensato a se stesso (cioè se avesse avuto una coscienza) si sarebbe reso conto che noi esseri umani abbiamo bisogno, per vivere bene, di qualcosa che gli altri esseri umani possono darci solo se ce lo conquistiamo, una cosa che è impossibile *strappare* con la forza o con l'inganno. Quando si ruba, questo qualcosa (rispetto, amicizia, amore) perde tutto il sapore e va a finire che diventa un veleno.

Gli «egoisti» come Kane o Caligola somigliano a quelli che partecipano ai quiz televisivi tipo «Il prezzo è giusto»: puntano a vincere tutto e invece si sbagliano e scelgono proprio la risposta che vale zero...

Bisognerebbe chiamare egoista fino in fondo solo quello che sa veramente ciò che gli conviene fare per vivere bene e che si sforza di arrivarci. Chi si sazia di tutto quello che gli fa male (odio, istinti criminali, lenticchie comprate a prezzo di lacrime, eccetera) vorrebbe essere egoista ma non è *capace*. Fa parte della corporazione degli imbecilli e bisognerebbe prescrivergli un po' di coscienza per insegnargli ad amare meglio se stesso. Perché il poveretto (sia pure un poveretto miliardario o imperatore) crede di amare se stesso, ma capisce così poco quello che veramente gli conviene che finisce per comportarsi come se fosse il peggior nemico di se stesso.

Arriva a riconoscerlo un famoso malvagio della letteratura, Riccardo III, nella tragedia di Shakespeare che ha lo stesso titolo. Per diventare re, il conte di Gloucester (che alla fine sarà incoronato come Riccardo III) elimina tutti i parenti maschi che si frappongono tra lui e il trono, bambini compresi. Il fatto di *essere* nato con una grande intelligenza ma deforme, è stato per il suo amor proprio un motivo di continua sofferenza, ma Gloucester è convinto che il potere compenserà in un certo senso la sua gobba e la sua gamba atrofizzata, conquistandogli il *rispetto* che a causa del suo aspetto fisico gli è negato. In fondo in fondo, Gloucester vuole essere *amato*, si sente isolato dalla sua malformazione e crede che si possa imporre agli altri di sentire affetto per lui... Con la forza, per mezzo del potere! Ovvio che non ci riesce: ottiene il trono ma invece di ispirare affetto suscita orrore e odio. La cosa peggiore, però, è che lui stesso, che aveva commesso tutti i suoi crimini spinto da un disperato amor di sé, ora prova orrore di se stesso e si odia: non solo non si è conquistato nessun nuovo amico, ma ha perduto anche l'unico amore su cui credeva di poter contare! È a questo punto che pronuncia quella diagnosi spaventosa e profetica sul suo caso clinico: «Mi lancerò con nera disperazione contro la mia anima e finirò per diventare nemico di me stesso».

Perché Gloucester finisce per diventare nemico di se stesso? Non ha ottenuto quello che voleva, il trono? Sì, ma calpestando la possibilità di essere veramente amato e rispettato dagli altri esseri umani. Il trono non garantisce automaticamente vero amore e autentico rispetto, ma solo adulazione, timore e servilismo. Soprattutto se si ottiene per mezzo di azioni malvage, come nel caso di Riccardo III. Invece di compensare in qualche modo la sua deformità, Gloucester si deforma anche *internamente*.

Non aveva colpa né della sua gobba né di essere zoppo e dunque non doveva vergognarsi di queste disgrazie: piuttosto avrebbero dovuto vergognarsi quelli che ridevano di lui e lo disprezzavano. Dal di fuori la gente lo vedeva deforme, ma lui, dall'interno, poteva sentirsi intelligente, generoso e degno di affetto. Se avesse amato veramente se stesso avrebbe cercato di manifestare all'esterno, per mezzo del suo comportamento, pulizia e rettitudine interiori, il suo vero Io. Al contrario, i suoi crimini lo trasformano ai suoi stessi occhi (quando guarda dentro di sé dove nessun altro è testimone) in un mostro la cui deformità morale è più ripugnante di qualsiasi deformità fisica. Perché? Perché della sua gobba morale è responsabile lui stesso, mentre la gobba fisica era uno scherzo della natura. La corona macchiata di tradimenti e sangue non lo rende

61

più *amabile*: ora si sente meno degno che mai d'amore, non ama più neppure se stesso. Chiameresti «egoista» uno che si fa tanto male da solo?

Nel capoverso precedente ho usato alcune parole dure che forse non ti saranno sfuggite (se ti sono sfuggite, peccato): parole come «colpa» o «responsabile». Familiari a chi ha una relazione con la sua coscienza, no? (il Grillo parlante e roba del genere). Non mi manca che citare il più brutto di questi vocaboli: *rimorso*.

Senza dubbio quello che avvelena l'esistenza di Gloucester e non gli permette di godersi il trono e il potere sono soprattutto i rimorsi di coscienza. E allora ti domando: lo sai da dove vengono i rimorsi? In certi casi, mi dirai, sono riflessi interiori della *paura* che proviamo di fronte al castigo che potremmo meritarci — in questo mondo o dopo la morte nell'altro, se esiste — per il nostro cattivo comportamento.

Ma supponiamo che Gloucester non abbia paura della vendetta degli uomini che vogliono fare giustizia e non creda nell'esistenza di un Dio che lo condannerà al fuoco eterno per le sue azioni malvage. Eppure continua a essere tormentato dai rimorsi... Pensaci su: uno può soffrire per aver agito male *anche se è ragionevolmente sicuro che niente e nessuno farà rappresaglie contro di lui*. Il fatto è che quando agiamo male e ce ne rendiamo conto siamo già puniti, perché abbiamo calpestato noi stessi — poco o molto — volontariamente. Non c'è punizione peggiore che rendersi conto che uno sta ostacolando con i suoi atti quello che vorrebbe davvero essere...

Ma da dove vengono i rimorsi? Per me è chiarissimo: dalla nostra *libertà*. Se non fossimo liberi non potremmo sentirci colpevoli (e neppure orgogliosi, ovvio) di niente ed eviteremmo i rimorsi. Perciò quando sappiamo che abbiamo fatto qualcosa di cui *vergognarci* ci sforziamo di dimostrare che non avevamo alternative, che non potevamo scegliere: «ho obbedito agli ordini dei miei superiori», «tutti facevano così», «ho perso la testa», «è più forte di me», «non mi sono reso conto di quello che facevo», eccetera.

Come il bambino piccolo quando gli cade per terra un barattolo di marmellata che cercava di prendere da sopra lo scaffale e si rompe: piagnucola e grida «Non sono stato io!». E lo grida precisamente perché sa *che è stato lui*; se non fosse così non direbbe proprio niente, e, chissà, si metterebbe persino a ridere. Invece se ha fatto un bel disegno dirà immediatamente: «L'ho fatto io, tutto da solo, nessuno mi ha aiutato!».

Da grandi è lo stesso, vogliamo essere liberi per poterci attribuire il merito delle cose buone che facciamo, ma preferiamo confessare di essere «schiavi delle circostanze» quando le nostre azioni non sono esattamente gloriose.

Scacciamo via quel seccatore del Grillo parlante: la verità è che mi è sempre stato poco simpatico come quell'altro insetto insopportabile, la formica della favola che lascia la stolta cicala senza cibo e senza riparo in pieno inverno solo per darle una lezione, che perfida! L'importante è prendere sul serio la libertà, ossia essere *responsabile*.

La libertà produce *effetti* che non si possono negare né cancellare a piacimento. Sono libero di mangiare o non mangiare il pasticcino che ho qui davanti, ma una volta che l'ho mangiato non sono più libero di averlo qui davanti a me.

Ti faccio un altro esempio, quello di Aristotele (lo conosci, quel vecchio greco che stava sulla barca durante una tempesta): se ho una pietra in mano sono libero di tirarla o di tenerla, ma se la tiro non sono libero di ordinarle di tornare da me per continuare a tenerla in mano. E se tirandola spacco la testa a qualcuno? Mi dirai tu...

La libertà è una cosa seria perché ogni atto libero limita le mie possibilità di scegliere e realizzare una di esse. E non vale aspettare per vedere se il risultato è buono o cattivo prima di prendermi la responsabilità dell'atto. Forse potrò ingannare gli osservatori esterni, come cerca di fare il bambino che dice «non sono stato io!», ma non posso ingannare me stesso, non completamente almeno. Domandalo a Gloucester o a Pinocchio!

Insomma quello che chiamiamo «rimorso» non è niente di più che la sensazione di non essere contenti di noi stessi quando abbiamo impiegato male la libertà, vale a dire quando l'abbiamo impiegata in contrasto con ciò che veramente vogliamo come esseri umani. Essere responsabili significa sapere di essere autenticamente liberi nel bene e nel male: accettare le conseguenze dei nostri atti, riparare al male fin dove è possibile e godersi al massimo le cose buone. A differenza del bambino maleducato e vigliacco, la persona responsabile è sempre disposta a *rispondere* delle sue azioni: «Sì, sono stato io».

Se ci pensi bene, il mondo è pieno di scappatoie per scaricare il soggetto dal peso delle sue responsabilità. La colpa delle cose negative che accadono sembra delle circostanze, della società in cui viviamo, del capitalismo, del carattere (io sono fatto così), della cattiva educazione (mi hanno viziato), della pubblicità in tv, delle tentazioni esposte nelle vetrine, degli esempi negativi ma irresistibili... Ecco la parola chiave di tutte queste giustificazioni: *irresistibile*. Quelli che vogliono togliersi di dosso le responsabilità credono nell'irresistibile: tutto quello che ci sottomette senza rimedio, la propaganda, la droga, l'appetito, la corruzione, le minacce, il modo di essere... quello che capita. Non appena appare l'irresistibile, zac! uno smette di essere libero e diventa una marionetta a cui non si può chiedere conto di niente. I fautori dell'autoritarismo credono fermamente nell'irresistibile e sostengono che è necessario proibire tutto ciò che può piegare la volontà: una volta che la polizia abbia eliminato tutte le tentazioni non ci saranno più delitti né peccati. Non ci sarà più nemmeno la libertà, ovviamente, ma tutto ha un prezzo... E poi, che sollievo! Se resta in giro qualche tentazione la responsabilità di quello che succede non è di chi ha ceduto, ma di chi non ha proibito in tempo.

E se ti dicessi che l'«irresistibile» non è altro che una *superstizione* inventata da quelli che hanno paura della libertà? Che tutte le istituzioni e le teorie che ci sollevano dalle responsabilità non vogliono vederci più contenti ma più schiavi? Che chi aspetta che nel mondo tutto sia come si deve per cominciare a comportarsi come si deve è nato idiota o furfante, o entrambe le cose (il che succede spesso)? Se ti dicessi che per quante proibizioni ci impongano e per quanti poliziotti ci controllino possiamo sempre agire male — ossia contro noi stessi — se *vogliamo*? Beh, te lo dico, e con tutta la convinzione del mondo.

Un grande poeta e scrittore argentino, Jorge Luis Borges, fa questa riflessione su un certo periodo del suo passato all'inizio di uno dei suoi racconti: «Gli capitò, come a tutti gli uomini, di vivere in brutti tempi». Ma in effetti *nessuno* ha mai vissuto in tempi completamente favorevoli, in cui fosse semplice essere uomini e vivere onestamente. La violenza, la rapina, la vigliaccheria, l'imbecillità (morale e non), le menzogne accettate come verità perché è piacevole sentirsele raccontare, ci sono sempre state... Una vita autenticamente umana nessuno se la trova *in regalo*, nessuno arriva a quello che è giusto per lui senza coraggio e senza sforzo: è per questo che *virtù* deriva etimologicamente da *vir*, la forza virile del guerriero che si impone nel combattimento contro la massa. Ti sembra una bella seccatura? Allora fatti dare il libro dei reclami... L'unica cosa che ti posso garantire è che mai nessuno ha vissuto nel paese di Bengodi e l'impegno a vivere bene lo deve prendere ognuno di noi verso se stesso, giorno per giorno, senza aspettare che le statistiche gli siano favorevoli o che il resto dell'universo glielo chieda per favore.

Il midollo della responsabilità, se ti interessa saperlo, non sta semplicemente nell'avere il coraggio o l'onestà di assumersi il peso dei propri errori senza cercare scuse a destra e a manca. Il tipo responsabile è cosciente del contenuto *reale* della sua libertà. E uso «reale» in due sensi: quello di «autentico» e «vero», ma anche quello di «proprio del re», che prende decisioni senza che nessuno sopra di lui gli dia degli ordini.

Responsabilità significa sapere che ciascuno dei miei atti mi costruisce, mi definisce, mi *inventa*. Scegliendo quello che voglio fare mi *trasformo* a poco a poco. Tutte le mie decisioni lasciano impronte in me stesso prima ancora di lasciarle nel mondo che mi circonda. Ovvio che una volta che ho impiegato la mia libertà per darmi un volto non posso lamentarmi o spaventarmi di quello che vedo nello specchio quando mi guardo... Se agisco bene mi diventerà sempre più difficile agire male (e, purtroppo, vale anche il contrario): per questo l'ideale sarebbe prendere il vizio... di vivere bene.

Quando il protagonista di un film western ha la possibilità di sparare alle spalle al cattivo e dice: «No, questo non *posso* farlo!», capiamo benissimo quello che vuole dire. Sparare potrebbe benissimo, ma non è abituato a fare una cosa del genere. Per forza: è lui «il buono» della storia! Deve restare fedele al tipo che ha scelto di essere, al carattere che si è fabbricato liberamente nella prima parte del film.

Scusa se questo capitolo mi è venuto così lungo ma

mi sono appassionato e, poi, ho tante di quelle cose da dirti! Fermiamoci qui e raccogliamo le forze perché domani voglio parlarti di questo: come si fa a trattare le persone come persone, ossia con realismo o, se preferisci, con bontà.

## Vatti a leggere...

«O, coscienza codarda, perché mi tormenti? Luce blu: è il colore morto della mezzanotte. Sento per tutto il corpo stille di sudore freddo, e tremo. Che? Avrei paura di me stesso, io? Qui non c'è nessun altro: Riccardo ama Riccardo, io sono io. C'è un assassino qui? No. Sì. Uno, io. E allora scappa. Da chi? Da me stesso? Che idea! Perché? Perché io non mi vendichi: Che? Io? E vendicarmi su me stesso? No, che purtroppo mi amo. E perché mi amo? Per qualche buona azione fatta da me a me stesso? Oh, no. Ahimè io mi odio, piuttosto. Per gli odiosi misfatti che io stesso ho compiuto. Io sono un furfante! Ma no, mento. Non sono. Scemo, parla bene di te! Scemo, non lusingarti! La mia coscienza ha mille diverse lingue e ogni lingua sa una sua diversa storia e ogni storia mi bolla da traditore. Spergiuro. Spergiuro oltre ogni limite. Assassino; assassino crudele oltre ogni limite: e i vari peccati praticati oltre ogni limite, tutti; e ora fanno ressa alla sbarra e tutti gridano, tutti: "Reo! Reo!". Dispera... Non c'è una creatura che mi ami: e se muoio, non un'anima avrà pietà di me. E perché ne dovrebbe avere, se io stesso non trovo in me ombra di pietà per me?» (William Shakespeare, *Riccardo III*, in *Teatro*, vol. I, Einaudi, Torino 1964, pp. 432-33).

«*Non fare agli altri quel che non vorresti fosse fatto a te* è uno dei principi etici più fondamentali. Ma sarebbe ugualmente giustificabile asserire: *tutto ciò che fai agli altri lo fai pure a te stesso*» (Erich Fromm, *Dalla parte dell'uomo* cit., p. 168).

«Chiunque, giovando ad altri giova a se stesso; e non già perché chi è stato beneficato vorrà beneficare, chi è stato difeso vorrà difendere, perché i buoni esempi ritornano, come procedendo in giro, a chi li dà, nello stesso modo che i cattivi esempi ricadono sui loro autori, né di alcuna compassione sono oggetto quelli che soffrono offese, dopo aver con l'esempio dimostrato che si possono fare, ma perché la mercede di ogni virtù è la virtù stessa. Infatti le virtù non si praticano in vista del premio: il premio di un'azione virtuosa sta nell'averla compiuta» (Seneca, *Lettere a Lucilio*, cit., p. 527).

# 7

## *Mettiti al suo posto*

Robinson Crusoe passeggia sulla spiaggia dell'isola dove una tempesta inopportuna e il conseguente naufragio l'hanno confinato. Sulla spalla ha il suo pappagallo e si protegge dal sole con un ombrello che ha fabbricato con le foglie di palma e che lo rende giustamente orgoglioso della sua abilità. Date le circostanze pensa che non si può dire che gli sia andata poi così male. Ha un rifugio dove ripararsi dalle intemperie e dall'assalto delle belve, sa dove trovare da mangiare e da bere, ha dei vestiti per coprirsi che si è fatto da solo con quello che ha trovato sull'isola, gode dei docili servigi di un piccolo gregge di capre, e così via. Insomma, più o meno sa come cavarsela per vivere la sua vita di naufrago solitario. Robinson continua a passeggiare ed è talmente contento di se stesso che per un momento gli pare che non gli manchi proprio niente. Ma all'improvviso ha un soprassalto. Lì, nella sabbia bianca, è disegnata una forma che rivoluziona tutta la sua pacifica esistenza: l'impronta di un piede umano.

Di chi sarà? Amico o nemico? Forse un nemico che si può trasformare in amico? Uomo o donna? Che rapporto avrà con lui o con lei? Da quando è sull'isola Robinson è abituato a porsi delle domande e a risolvere i problemi nel modo più ingegnoso possibile: che cosa mangerò? dove troverò rifugio? come mi proteggerò dal sole? Adesso però la situazione è diversa perché non deve affrontare cose naturali come la fame, la pioggia, le belve selvagge. Deve vedersela con un altro essere umano: un altro Robinson, altri Robinson di sesso maschile o femminile. Di fronte agli elementi naturali o alle bestie ha potuto comportarsi senza pensare ad altro che alla sua sopravvivenza. Si trattava di vedere se era lui a dominare loro o erano loro a dominare lui, senza altre complicazioni.

Invece davanti a degli esseri umani la cosa non è tanto semplice. Certamente deve sopravvivere ma non in un *modo qualsiasi*. Se la solitudine e la disgrazia hanno trasformato Robinson in una belva come quelle che lo circondano nella foresta, allora non si preoccuperà d'altro che di stabilire se lo sconosciuto che ha lasciato l'impronta è un nemico da eliminare o una preda da divorare. Ma se resta ancora un uomo... Allora deve vedersela non con una preda o un semplice nemico ma con un rivale o un possibile compagno; in ogni caso con un suo *simile*.

Finché è solo, Robinson affronta questioni tecniche, meccaniche, igieniche, persino scientifiche, se proprio insisti. Si tratta di *salvarsi la vita* in un ambiente ostile e sconosciuto. Ma quando trova l'impronta di Venerdì sulla sabbia cominciano i problemi *etici*. Non si tratta più soltanto di sopravvivere, come una bestia o come un carciofo, in mezzo alla natura; ora deve iniziare a *vivere in modo umano*, cioè insieme agli altri uomini o contro di loro, ma comunque *tra* gli uomini. Quello che rende «umana» la vita è trascorrerla in compagnia di esseri umani, parlando con loro, scendendo a patti o mentendo, rispettato o tradito, amando, facendo progetti, ricordando il passato, sfidandosi, organizzando insieme cose comuni, giocando, comunicando attraverso simboli...

L'etica non si occupa di come mangiare meglio o del modo migliore per proteggersi dal freddo né di come guadare un fiume senza affogare (questioni senz'altro molto importanti per sopravvivere in determinate circostanze), la *specialità* dell'etica consiste nell'indagare come vivere bene la vita umana, la vita che si trascorre insieme agli altri esseri umani. Se uno non sa affrontare i pericoli naturali perde la vita, il che è senza dubbio un grave fastidio; ma se uno non ha nessuna idea di etica perde o spreca il lato umano della sua vita e anche questo, se devo essere sincero, non è una bella cosa.

Prima ti ho detto che l'impronta nella sabbia annunciava a Robinson la vicinanza compromettente di un suo *simile*. Ma guardiamo meglio: fino a che punto Venerdì era simile a Robinson? Da una parte abbiamo un europeo del XVII secolo in possesso delle conoscenze scientifiche più avanzate della sua epoca, educato alla religione cristiana, familiarizzato con i poemi omerici e con la stampa; dall'altra parte un selvaggio cannibale dei Mari del Sud con una cultura limitata alle tradizioni orali della sua tribù, politeista, senza la minima conoscenza delle grandi città dell'epoca, tipo Londra o Amsterdam. I due sono diversi in tutto: colore della pelle, gusti alimentari, divertimenti. Persino i sogni che fanno di notte non hanno nulla in comune. Eppure, con tutte queste differenze, esistono tratti fondamentalmente simili, somiglianze essenziali che Robinson non ha con nessun animale, albero o sorgente d'acqua sull'isola. Innanzitutto entrambi *parlano*, anche se in lingue molto diverse. Per loro il mondo è fatto di simboli e di relazioni tra simboli, e non di mere cose senza nome. Inoltre tanto Robinson che Venerdì sono capaci di *valutare* i comportamenti, di sapere che uno può fare certe cose che «stanno bene» e non può farne altre che al contrario sono cattive. A prima vista quello che per ciascuno dei due è «bene» e «male» non è affatto uguale, perché la scala di valori di ciascuno di

71

loro proviene da culture molto diverse: il cannibalismo, per non andare tanto lontano, è un costume ragionevole e accettabile per Venerdì, mentre per Robinson — e anche per te, suppongo, per quanto tu possa essere ingordo — è una cosa abominevole. Ciò nonostante entrambi sono d'accordo nel ritenere che esistono *criteri* per giustificare quello che è accettabile e quello che è orribile. Anche se partono da posizioni molto diverse, *possono* sempre discutere e capire di che cosa stanno discutendo. È già meglio di quello che si può fare con uno squalo o con una frana di pietre, non ti pare?

Tutto giusto, dirai tu, però per quanto gli uomini possano essere simili non si può sapere in anticipo qual è il modo migliore di comportarsi con loro. L'atteggiamento di Robinson non potrà essere lo stesso se l'impronta nella sabbia appartiene a un membro di una tribù di cannibali che vuole mangiarselo bollito o se invece l'orma è quella del mozzo della nave che viene finalmente a riprenderselo. Proprio perché gli altri uomini mi somigliano molto possono risultare più *pericolosi* di qualsiasi animale feroce o terremoto. Non c'è peggior nemico di un nemico intelligente, capace di studiare piani particolareggiati, di tendere tranelli, d'ingannarmi in mille modi. Forse allora sarà meglio attaccare per primo, tenerli a bada con la violenza o sorprenderli con un'imboscata, come se fosse già sicuro che si tratta di nemici...

Tuttavia questo atteggiamento non è tanto prudente come sembra a prima vista: se mi comporto da nemico con i miei simili senza dubbio aumento la possibilità che anche loro diventino miei nemici; perdo l'occasione di conquistarmi la loro amicizia oppure di conservarla nel caso che fossero disposti a offrirmela.

Di fronte ai nostri simili pericolosi c'è un altro comportamento possibile. Marco Aurelio fu imperatore di

Roma e filosofo, il che è piuttosto singolare perché in genere i governanti non si interessano molto alle questioni che non siano indiscutibilmente pratiche. Marco Aurelio amava annotare delle conversazioni con se stesso in cui si dava consigli e si rimproverava. Spesso appuntava cose di questo tenore (cito a memoria per cui non prenderlo alla lettera): «Oggi, quando ti alzi, pensa che nel corso del giorno ti imbatterai in un bugiardo, un ladro, un adultero, un assassino. Ricorda che devi trattarli come uomini, perché sono esseri umani esattamente come te e quindi non puoi fare a meno di loro come la mandibola inferiore non può fare a meno della superiore».

Per Marco Aurelio la cosa più importante non è stabilire se la condotta degli altri uomini mi sembra conveniente, ma sapere che — in quanto esseri umani — mi corrispondono e questo non devo mai dimenticarlo quando ho a che fare con loro. Per cattivi che siano, la loro umanità corrisponde alla mia e la rafforza. Senza di loro potrei forse anche vivere ma non potrei vivere umanamente. Anche se ha qualche dente finto e due o tre carie, all'ora di pranzo è conveniente poter contare su una mandibola inferiore che aiuti la superiore...

L'avere in comune intelligenza, capacità di ragionare e fare progetti, passioni e paure, le stesse cose che rendono gli uomini tanto pericolosi se vogliono, me li rende anche sommamente *utili*. Quando un essere umano *mi si addice* non c'è niente che possa superarlo. Di' un po', che c'è di meglio che essere amato? Chi vuole denaro, potere o prestigio, non desidera per caso queste ricchezze per poter comprare la metà di quello che quando uno è amato riceve *gratis*. Ma chi mi può amare veramente se non un altro essere come me, che funzioni proprio come me, e che mi voglia bene in quanto umano e appunto per questo? Nessun animale per quanto affettuoso potrà darmi quanto mi dà un altro essere umano, persino se è un po' antipatico. Certamente gli esseri umani vanno trattati con *cautela*, il più delle volte. Ma questa «cautela» non va intesa come diffidenza o malizia, piuttosto è quell'attenzione che si mette nel maneggiare le cose fragili, anzi le cose più fragili... perché non sono semplici *cose*. Il rispetto e l'amicizia che ci legano agli altri esseri umani sono per me (che sono un essere umano) la cosa più preziosa al mondo e quando ho a che fare con gli uomini devo pensare soprattutto a salvaguardare e persino *coccolare* quel legame, se mi passi l'espressione. Neppure quando si tratta di salvare la pelle questa priorità va dimenticata completamente.

Marco Aurelio, che era imperatore e filosofo ma non imbecille, sapeva molto bene una cosa che sai anche tu: esiste gente che ruba, che mente e che uccide. Naturalmente non pensava che per comportarsi bene con il prossimo si dovessero favorire questi comportamenti, però aveva abbastanza chiare due cose che mi sembrano importanti.

Primo: chi ruba, mente, tradisce, violenta, uccide o abusa in qualsiasi modo dell'altro non per questo cessa di *essere umano*. Il linguaggio inganna, perché attribuisce un appellativo corrispondente all'infamia («questo è un ladro», «quella una bugiarda», «il tale è un criminale») e ci fa dimenticare in qualche misura che si tratta sempre di esseri umani, che senza smettere di esserlo, si comportano in modo poco raccomandabile. Chi è diventato qualcosa di detestabile, siccome continua a essere un uomo, può sempre ritornare a essere ciò che più ci conviene, ciò di cui non possiamo fare a meno...

Secondo: una delle caratteristiche principali di tutti gli esseri umani è la nostra capacità di *imitazione*. Perlopiù copiamo i nostri comportamenti e i nostri gusti dagli altri. Per questo siamo educabili e non smettiamo mai di acquisire le conquiste fatte da altri nel passato o in latitudini remote. Quello che chiamiamo «civiltà», «cultura», eccetera, contiene un po' d'invenzione e moltissima imitazione. Se non fossimo tanto copioni ognuno dovrebbe sempre ricominciare da zero.

Per questo è così importante l'*esempio* che diamo ai nostri pari: è quasi certo che nella maggior parte dei casi ci tratteranno esattamente come noi trattiamo loro. Se distribuiamo inimicizia a destra e a manca, anche se in modo dissimulato, è probabile che in cambio avremo altra inimicizia. E so bene che per quanto uno dia il buon esempio gli altri hanno sempre davanti agli occhi troppi cattivi esempi da imitare. Perché allora darsi pena e rinunciare ai vantaggi immediati che le canaglie ottengono sempre? Marco Aurelio ti risponderebbe così: «Ti sembra prudente aumentare il numero già alto dei cattivi, dai quali puoi aspettarti realmente tanto poco di positivo, e scoraggiare la minoranza dei migliori che invece possono fare tanto per aiutarti a vivere bene? Non sarebbe più logico seminare quello che vuoi raccogliere anziché l'opposto (pur sapendo che la zizzania può rovinare il tuo raccolto)? Preferisci comportarti volontariamente da pazzo piuttosto che sostenere i vantaggi del buon senso?».

Vediamo di studiare un po' più da vicino come si comportano quelli che chiamiamo «cattivi», quelli cioè che trattano gli altri esseri umani come nemici invece di cercarne l'amicizia.

Sicuramente ti ricordi *Frankenstein*, il film interpretato da quell'adorabile mostro dei mostri che è Boris Karloff. Quando eri piccolino abbiamo cominciato a vedercelo insieme in tv ma ho dovuto spegnere perché, come mi hai detto con una sincerità affascinante, «mi pare che mi sta facendo un po' troppa paura». Bene, nel romanzo di Mary Shelley a cui il film si ispira, la creatura fatta di pezzi di cadavere fa questa confessione al suo inventore ormai pentito: «Sono cattivo perché sono disgraziato».

Ho l'impressione che la maggioranza dei supposti «cattivi» che vanno in giro per il mondo direbbero lo stesso se fossero sinceri. Si comportano in modo ostile e disumano con i loro simili perché hanno paura, si sentono soli, oppure perché sono privi di cose necessarie che molti altri possiedono: disgrazie, come vedrai. Oppure patiscono la disgrazia peggiore di tutte, quella di vedersi trattare dalla maggior parte della gente senza amore e rispetto, come succedeva alla povera creatura del dottor Frankenstein, a cui solo un cieco e una bambina se la sentirono di mostrarsi amici. Non conosco nessuno che sia cattivo perché così è felice, né qualcuno che martirizzi il prossimo per manifestare la sua allegria. Certo, sono abbastanza numerosi quelli che per essere contenti hanno bisogno di *non impicciarsi* nelle sofferenze che li circondano e di cui a volte sono complici. Ma anche l'ignoranza, per quanto compiaciuta di se stessa, è una forma di disgrazia...

Dunque: se è vero che più uno si sente felice tanto meno avrà voglia di essere cattivo, non sarà prudente cercare di far felici gli altri anziché renderli infelici e quindi propensi al male? Quello che si dà da fare per la rovina degli altri e non fa niente per evitarla... se la sta cercando. Dopo non deve protestare per tutti i problemi che vengono fuori!

A breve scadenza trattare i nostri simili come nemici (o come vittime) può sembrare *vantaggioso*. Il mondo è pieno di furbastri e di canaglie sfacciate che si considerano molto intelligenti quando riescono ad approfittare delle buone intenzioni del prossimo o persino delle sue disgrazie. Sinceramente non mi sembrano tanto «furbi» come piace credere a loro. Il più grande *vantaggio* che possiamo ottenere dai nostri simili non è il possesso del maggior numero di cose (o il dominio sul maggior numero di persone trattate come se fossero cose, come strumenti) ma *la confidenza e l'affetto di molti esseri liberi*. Ossia l'amplificazione e il rafforzamento della mia *umanità*. «A che serve?», domanderà il furbo credendo di dire una gran cosa. E tu rispondi così: «Non *serve* a niente di quello che tu pensi. Solo i *servi* servono, ma ti ho detto che stiamo parlando di esseri *liberi*».

Il problema della canaglia è questo: non sa che la libertà non vuole servire né essere servita ma vuole propagarsi per contagio. Il poverino ha la mentalità dello schiavo... per quanto si consideri ricco di cose!

«Ma...», sospira la canaglia, diventato già tremante e ridotto a semplice furbastro, «se non sono io ad approfittarmi degli altri, saranno loro ad approfittarsi di me!». È una questione di topi-schiavi e leoni-liberi, con tutto il rispetto per entrambe le specie di animali. Differenza numero uno tra chi è nato topo e chi è nato leone. Il topo domanda: «Che mi succederà?», il leone «Che farò?». Numero due: il topo obbliga gli altri a volergli bene per riuscire ad amarsi, il leone vuole bene a se stesso e perciò è capace di amare gli altri. Numero tre: il topo è disposto a fare qualsiasi cosa contro gli altri per evitare che gli altri facciano qualcosa contro di lui, il leone invece ritiene di fare per se stesso tutto quello che fa per gli altri. Essere topo o leone: ecco il dilemma! Per il leone è abbastanza chiaro — «tenebrosamente chiaro», direbbe il poeta Antonio Machado — che quando cerco di danneggiare un mio simile danneggio innanzitutto me stesso... e proprio in quello che ho di più importante, di meno *servile*.

Finalmente è arrivato il momento di tentare di dare una risposta che abbiamo rimandato fin troppo, almeno in forma diretta (ma indirettamente e con molti giri di parole sono parecchie pagine che non facciamo che parlare di questo): in che consiste trattare le persone come persone, ossia umanamente? Risposta: consiste nel *tentare di metterti al loro posto*. Riconoscere qualcuno come un nostro simile implica soprattutto la possibilità di comprenderlo *dal di dentro*, di adottare, per un momento, il suo punto di vista. È una cosa che posso pretendere di fare solo in modo molto opinabile con un pipistrello o con un geranio, ma mi si impone con gli esseri capaci di maneggiare simboli come me.

In fin dei conti, ogni volta che *parliamo* con qualcuno quello che facciamo è cercare di stabilire un terreno su cui quello che ora è «io» sa che si convertirà in «tu» e viceversa. Se non ammettessimo che esiste qualcosa di fondamentalmente uguale tra di noi (la possibilità di essere per un altro quello che l'altro è per me) non potremmo scambiarci neppure una *parola*. Dove c'è scambio c'è anche il riconoscimento che in un certo modo apparteniamo a quello che ci sta *di fronte* e l'altro appartiene a noi... Questo anche se io sono giovane e l'altro vecchio, io uomo e l'altro donna, io bianco e l'altro nero, io fesso e l'altro scaltro, anche se io sono sano e l'altro è malato, o se io sono ricco e lui è povero.

«Sono un essere umano, e nulla di ciò che è umano può apparirmi estraneo», disse Terenzio, un poeta latino. Vale a dire: essere consapevole della mia umanità significa rendermi conto che, con tutte le differenze che ci sono effettivamente tra gli individui, io sono pure, in qualche modo, *dentro* ciascuno dei miei simili. Innanzitutto come *parola*...

Non solo per poter parlare con loro, evidentemente. Mettersi al posto dell'altro è qualcosa di più dell'inizio di tutta la comunicazione simbolica con l'altro: si tratta di tenere conto dei suoi *diritti*. E quando mancano i diritti bisogna comprendere le *ragioni*. Questa è una cosa che vale per ciascuno di fronte agli altri uomini, fosse pure il peggiore di tutti: il diritto — *uma-*

*no* — che qualcuno cerchi di mettersi al suo posto e cerchi di comprendere quello che fa e quello che sente. Anche se poi è costretto a condannarlo in nome delle leggi che ogni società deve per forza avere. In breve, mettersi al posto di un altro significa *prenderlo sul serio*, considerarlo *reale* come te.

Ti ricordi del nostro vecchio amico, il cittadino Kane? O di Gloucester? Si prendevano tanto sul serio, tenevano talmente in conto i loro desideri e le loro ambizioni, che agirono come se gli altri non esistessero veramente, come se fossero dei fantocci o dei fantasmi: li trattavano bene quando avevano bisogno della loro collaborazione, li rifiutavano o li uccidevano se non erano più utili. Non fecero mai il minimo sforzo per mettersi al loro posto, per *relativizzare* il loro interesse al fine di prendere in considerazione anche l'interesse dell'altro. E già sai come gli è andata a finire.

Non sto dicendo che ci sia qualcosa di male nel fatto di avere i tuoi *interessi*, e neppure che tu debba sempre rinunciare a essi a favore del tuo prossimo. I tuoi interessi sono certamente degni di rispetto quanto quelli degli altri, il resto sono storie. Però rifletti un momento sulla parola «interesse»: viene dal latino *inter esse*, quello che sta in mezzo, ciò che pone in relazione. Quando parlo di relativizzare i tuoi interessi intendo dire che questo interesse non è esclusivamente tuo, come se tu vivessi solo in un mondo di fantasmi, ma anzi ti mette in contatto con altre realtà altrettanto «vere». Così tutti gli interessi che puoi avere sono relativi (rispetto ad altri interessi, alle circostanze, alle leggi e ai costumi della società in cui vivi), tutti eccetto un interesse, l'unico *assoluto*: quello di essere umano tra gli esseri umani, di trattare gli altri ed essere trattato umanamente, condizione indispensabile per una «vita autentica».

Per quanto una cosa possa interessarti, se ci pensi

bene niente può essere interessante come la capacità di metterti al posto di quelli con cui il tuo interesse ti mette in relazione. E mettendoti al loro posto non solo devi essere in grado di prestare attenzione alle loro ragioni, ma anche di partecipare in qualche modo alle loro passioni e ai loro sentimenti, ai loro dolori, aspirazioni e piaceri. Si tratta di provare *simpatia* per l'altro (o se preferisci *compassione*, tanto l'etimologia è molto simile, una viene dal greco, l'altra dal latino), vale a dire essere capace di provare un'esperienza in una certa misura all'unisono con l'altro, non lasciarlo del tutto solo nei suoi pensieri o desideri. Riconoscere che siamo fatti della stessa pasta: idee, passioni e carne. O come ha detto con parole più belle e profonde Shakespeare: tutti gli esseri umani sono fatti della sostanza di cui sono intessuti i sogni. Diamo a vedere che di questa parentela siamo consapevoli.

Prendere l'altro sul serio significa essere capace di metterti al suo posto per accettare in pratica che è tanto reale quanto te; non significa che tu debba dargli sempre ragione in tutto quello che fa o pretende. E neppure significa che, siccome lo consideri reale come te e simile a te, tu debba comportarti come se fossi *identico* a lui. George Bernard Shaw, drammaturgo e umorista, amava dire: «Non devi sempre fare agli altri quello che vorresti che gli altri facessero a te: possono anche avere gusti diversi».

Senza dubbio noi uomini siamo simili e certamente sarebbe stupendo se arrivassimo a essere uguali (cioè nati con le stesse possibilità e uguali davanti alla legge), ma sicuramente non lo siamo né dobbiamo cercare di diventare identici. Che noia e che razza di tortura generalizzata! Metterti al posto dell'altro è fare uno sforzo di obiettività per vedere le cose come le vede lui, non cacciare l'altro e occupare tu il suo posto... Ossia: lui deve continuare a essere se stesso e tu a essere te stesso. Il primo dei diritti dell'uomo è quello a non essere la fotocopia del vicino, a essere più o meno *strani*. E non hai diritto di obbligare l'altro a smettere di essere «strano» per il suo bene, a meno che la sua «stranezza» non consista nel danneggiare il prossimo in modo lampante...

Ho appena impiegato la parola «diritto» e mi pare di averla utilizzata anche poco fa. Sai perché? Perché gran parte della difficile arte di mettersi al posto del prossimo ha a che vedere con quella cosa che fin dall'antichità si chiama *giustizia*. Non mi riferisco solo alla *istituzione pubblica* (leggi stabilite, giudici, avvocati, eccetera) ma anche alla *virtù* della giustizia, cioè alla capacità e allo sforzo che ognuno di noi deve fare — se vogliamo vivere bene — per capire che cosa i nostri simili si *aspettano* da noi.

Le leggi e i giudici tentano di determinare obbligatoriamente il minimo che le persone hanno diritto di pretendere da quelli con cui convivono nella società, ma si tratta di un minimo, niente di più. Molte volte, per quanto sia *legale*, per quanto si rispettino i codici e nessuno possa multarci o metterci in carcere, il nostro comportamento è, fondamentalmente, *ingiusto*. Tutta la legge scritta non è che una semplificazione, un condensato — alquanto imperfetto — di quello che il tuo simile può aspettarsi concretamente da *te*, e non dallo Stato o dai giudici. La vita è troppo complessa e sottile, le persone sono troppo differenti, le situazioni sono troppo varie, e spesso troppo *intime* perché tutto questo possa entrare nei libri di giurisprudenza. Così come nessuno può essere *libero* al tuo posto, è altrettanto vero che nessuno può essere *giusto* in vece tua se non ti rendi conto che devi esserlo per vivere bene.

Per comprendere a fondo quello che l'altro può aspettarsi da te non c'è altro mezzo che *amarlo* almeno un po', anche solo come essere umano... questo piccolo ma importantissimo amore non può essere imposto da nessuna legge istituita. Per vivere bene bisogna essere capaci di una giustizia per simpatia o di una compassione giusta.

Ecco, mi è venuto un altro capitolo lunghissimo! Ma ho una scusante, perché questo è il più importante di tutti. La cosa più importante dell'etica, almeno di quella di cui voglio parlarti io, ho cercato di dirla in queste ultime pagine. Mi azzardo a chiederti, se non ne hai abbastanza, di rileggerle prima di passare oltre. Ma se non lo fai perché sei troppo stanco... va bene, mi metto al tuo posto!

## Vatti a leggere...

«Un giorno, verso il meriggio, mentre andavo a raggiungere il canotto, vidi, con somma meraviglia, l'impronta d'un piede umano nudo sulla sabbia. Mi fermai, come colpito dal fulmine o da una improvvisa apparizione. Stetti in ascolto; mi guardai attorno, ma non udii, né vidi nulla» (Daniel Defoe, *Robinson Crusoe*, Edifera, Novara 1973, p. 142).

«La vita effettiva è incontro» (Martin Buber, *Il principio dialogico*, cit., p. 16).

«Unito ai suoi compagni dal più forte di tutti i legami, il legame di una sorte comune, l'uomo libero scopre che una visione nuova l'accompagna sempre, inondando di una luce d'amore tutti i suoi compiti quotidiani. La vita dell'uomo è una lunga marcia attraverso la notte; nemici invisibili lo circondano, la stanchezza e il dolore lo torturano ed egli avanza verso una mèta che pochi possono sperare di raggiungere e dove nessuno potrà sostare a lungo. Uno per uno, mentre procedono, i nostri compagni scompaiono alla vista, colpiti dagli ordini silenziosi della morte onnipotente. Possiamo aiutarli per un tempo brevissimo, durante il quale si decide la loro felicità o la loro disgrazia. Sta a noi illuminare il loro cammino, lenire le loro sofferenze col balsamo della simpatia, donare la pura gioia di un affetto inesausto, rafforzare il coraggio vacillante, istillare la fede nell'ora della disperazione» (Bertrand Russell, *Misticismo e logica*, Longanesi, Milano 1970, p. 54).

«Infatti non è mai esistito un seguace della virtù così duro e rigido, uno spregiatore del piacere tale che t'imponga fatiche, veglie e miserie, senza ordinarti insieme di alleviare, per quanto un uomo può e deve, le miserie e le sventure altrui, e che in nome dell'umanità non creda sommamente lodevole per un uomo esser di salvezza e di sollievo agli altri, visto che è sommamente umano (e non c'è virtù più particolare all'uomo) addolcire le pene altrui e togliere loro ogni amarezza e restituire la vita alla gioia, cioè al piacere» (Tommaso Moro, *Utopia*, a cura di T. Fiore, Laterza, Roma-Bari 1982, p. 84).

# 8

## Tanto piacere

Immagina che qualcuno ti venga a dire che il tuo amico Tale o la tua amica Tizia sono stati arrestati per «atti osceni» in luogo pubblico. Puoi star certo che questa «oscenità» non consiste nel fatto che sono passati col rosso o che hanno detto a qualcuno una bugia bella grossa in mezzo alla strada e neppure che hanno fregato il portafogli a qualcuno approfittando della folla. La cosa più probabile è che quel pazzo del Tale si sia messo a palpare il didietro alle signore più in carne che gli passavano davanti in segno di rude apprezzamento o che quella svergognata di Tizia, dopo un buon numero di bicchieri, abbia cercato di dimostrare ai passanti che la sua anatomia non ha niente da invidiare a quella di Sabrina Salerno o Pamela Prati.

Altro esempio: se una di quelle persone che si definiscono «rispettabili» (come se tutti gli altri non lo fossero) ti annuncia in tono severo che un certo film è «immorale», sai già che non si riferisce al fatto che sullo schermo si vedono vari morti ammazzati oppure che i personaggi ricorrono a mezzi poco puliti per fare soldi, ma invece... beh, già lo sai.

Quando la gente parla di «morale», e soprattutto di «immoralità», l'ottanta per cento delle volte — e stai sicuro che non sto esagerando — la predica ha a che fare in qualche modo con il *sesso*. Tanto che alcuni credono che la morale si occupi soprattutto di giudicare quello che ognuno fa con i suoi genitali. È una bella fregatura, e credo che anche se finora non avrai dedicato molta attenzione a quello che ti sto per dire, non ti ci vorrà molto a condividerlo.

Nel sesso, in sé e per sé, non c'è nulla di più «immorale» che nel mangiare o camminare in campagna; è chiaro che qualcuno può comportarsi immoralmente col sesso (usandolo per danneggiare un'altra persona, per esempio), ma lo stesso si può dire di chi mangia il panino del compagno di banco o prepara attentati terroristici durante le sue passeggiate. Certamente, siccome i rapporti sessuali possono creare vincoli molto forti e complicazioni sentimentali delicate, è logico che ci si debba comportare con il massimo dell'*attenzione* e del *rispetto* per l'altro. Però, in generale, ti dico chiaro e tondo che non c'è niente di male in quello che fa piacere a due persone e non danneggia nessuno. Quello che veramente è «male» è credere che ci sia qualcosa di male nel piacere... Non perché abbiamo un corpo, come si usa dire (quasi con rassegnazione), ma perché *siamo* un corpo, e senza la soddisfazione e il benessere del corpo non è possibile vivere bene. Chi si vergogna della capacità di godere del suo corpo è altrettanto stolto di chi si vergogna di aver imparato le tabelline.

Sicuramente una delle funzioni più importanti del sesso è quella della *procreazione*. Già, vengo a raccontartelo proprio a te che sei mio figlio! È una conseguenza che non si può prendere alla leggera dato che comporta vincoli etici: se non te lo ricordi più, ripassa quello che ti ho detto della *responsabilità* come rovescio inevitabile della libertà. Però l'esperienza sessuale non è limitata solamente alla procreazione.

Negli esseri umani i meccanismi naturali che assicurano la perpetuazione della specie hanno anche altre dimensioni che la biologia non sembra aver previsto. Simboli e raffinatezze, invenzioni preziose della libertà senza la quale gli esseri umani non sarebbero tali, si aggiungono alla natura. È paradossale che siano proprio quelli che vedono nel sesso qualcosa di «male» o almeno di «torbido» a dire che dedicarcisi con troppo entusiasmo rende l'uomo un *animale*. La verità è che sono proprio gli animali quelli che usano il sesso solo per procreare, così come usano il cibo solo per nutrirsi e l'esercizio fisico solo per mantenersi in salute; noi esseri umani, invece, abbiamo inventato l'erotismo, la gastronomia e lo sport.

Il sesso è un meccanismo di riproduzione per gli uomini come per i cervi e i pesci; però negli uomini produce molti altri effetti, per esempio la poesia lirica e il matrimonio, cose che né i cervi né i pesci conoscono (per loro fortuna o disgrazia, non so). Più si separa il sesso dalla semplice procreazione più diventa umano e meno animale. Da questo, ovviamente, derivano conseguenze buone e cattive, come sempre quando è in gioco la libertà... Ma questo è un problema con cui ti sto annoiando praticamente dalla prima pagina.

Dietro a questa vera e propria ossessione dell'«immoralità» del sesso non si nasconde altro che uno dei più antichi timori sociali dell'uomo: *la paura del piacere*. E siccome il piacere sessuale è proprio uno dei più intensi e vivaci che si possano provare, proprio per questo è circondato con tanta enfasi da timori e cautele. Ma perché il piacere fa paura? Immagino che sia perché ci piace troppo.

In ogni secolo le società hanno tentato di evitare che i loro membri prendessero troppo gusto a star dietro al corpo a tutte le ore dimenticando di lavorare, di pensare al futuro e di difendere il gruppo: la verità è che uno non è mai così felice come quando gode, ma se dimentica tutto il resto non resterà vivo a lungo. In tutte le epoche e in ogni momento l'esistenza umana è un gioco *pericoloso* e questo vale per le prime tribù che si raccolsero intorno a un fuoco migliaia di anni fa come per noi oggi quando attraversiamo la strada per andare a comprare il giornale. Il piacere a volte ci *distrae* dal calcolo, e la cosa può risultare fatale. Per questo i piaceri sono sempre stati repressi con tabù e restrizioni, razionati con grande cautela, permessi solo in certi giorni, eccetera: sono precauzioni sociali (che a volte restano valide anche quando non sono più necessarie) per evitare che qualcuno si distragga troppo dai pericoli del vivere.

D'altra parte ci sono quelli che godono solo eliminando il piacere. Hanno tanta paura che il piacere diventi irresistibile, si tormentano tanto pensando a quello che può accadere se lasciano veramente spazio al corpo, da diventare dei *denigratori* del piacere di professione. Il sesso di qua! Mangiare e bere di là! Come si fa a giocare, ridere e fare festa con tutta la tristezza che c'è nel mondo? Che puoi rispondere tu? Tutto può risultare cattivo o servire per fare del male, ma *niente è cattivo per il solo fatto che ti dà piacere*.

I denigratori del piacere di professione si chiamano «puritani». Sai chi è puritano? Chi sostiene che una cosa è buona quando non ci piace farla. Chi afferma che è più bravo chi soffre di chi gode (in realtà è più bravo chi gode *bene* di chi soffre *male*). E, questa è la cosa peggiore, il puritano crede che quando uno vive *bene* non deve spassarsela e che quando uno se la passa *male* vuol dire che vive bene. Ovvio che i puritani si considerano la gente più «morale» del mondo, nonché i guardiani della moralità del prossimo.

Non voglio esagerare (ho una certa tendenza all'esagerazione), ma direi che è più «decente» e più «morale» lo spudorato medio del puritano ufficiale. Il suo modello, in genere, è la signora di quel racconto... ti ricordi? Una che chiama la polizia per protestare perché ci sono dei ragazzi che fanno il bagno nudi davanti a casa sua. La polizia li manda via, ma la signora richiama e dice che stanno facendo il bagno (nudi, sempre nudi) un po' più in là, che lo scandalo non è finito. La polizia li fa allontanare ancora un po' ma la signora protesta di nuovo. «Ma, signora — dice l'ispettore — li abbiamo mandati a più di un chilometro e mezzo di distanza...». E la puritana risponde «virtuosamente» indignata: «Sì, ma con il binocolo li vedo!».

Secondo me il puritanesimo è in assoluto l'atteggiamento più contrario all'etica, perciò non mi sentirai dire una sola parola contro il piacere e certamente non cercherò in nessun modo di spingerti a *vergognarti*, neanche un pochino, per il desiderio di godere il più possibile con il corpo e l'anima. Anzi, sono propenso a ripeterti con la massima convinzione il consiglio di un vecchio maestro francese che ti raccomando moltissimo, Michel de Montaigne: «Bisogna tenersi stretti con le unghie e con i denti i piaceri della vita, perché gli anni ce li sfilano dalle mani l'uno dopo l'altro».

In questa frase ti voglio segnalare due cose. La prima la dice alla fine: è che gli anni ci sottraggono senza sosta la possibilità di provare i piaceri, e dunque non bisogna aspettare troppo prima di decidersi a spassarsela. Se si ritarda troppo il momento del piacere va a finire che si dimentica di godersela... Bisogna essere capaci di lasciarsi andare al gusto del presente, quello che i romani (e il poeta-profeta, un po' pedante, del film *L'attimo fuggente*) riassumevano con il motto «carpe diem». Questo non vuol dire che devi cercare oggi tutti i piaceri, ma che devi *cercare tutti i piaceri dell'oggi*.

Uno dei mezzi più infallibili per rovinarsi i godimenti del presente è cercare di prendere da ogni momento *tutto*, le gratificazioni più diverse e improbabili. Non ti accanire a mettere insieme per forza nell'istante che vivi piaceri che non si abbinano tra loro; cerca piuttosto di trovare il lato piacevole di quello che hai. Andiamo: non farti freddare l'uovo fritto per cercare di avere un hamburger se non è possibile, non farti andare di traverso l'hamburger che hai nel piatto perché non c'è il ketchup... Il gusto non sta nell'uovo, nell'hamburger o nella salsa, ma nel *saper* trarre da ciò che ti circonda cose positive.

Questo mi porta alla prima parte della citazione di Montaigne che ti ho appena riferito, quando dice che bisogna tenersi stretti con le unghie e con i denti «all'*uso* dei piaceri della vita». Bisogna usare i piaceri, ossia mantenere sempre un certo controllo su di loro per evitare che si ritorcano contro le altre parti della tua esistenza. Ricordati che un po' di pagine indietro abbiamo parlato, facendo l'esempio di Esaù e delle sue lenticchie riscaldate, della *complessità* della vita e del fatto che, per viverla bene, è raccomandabile non semplificarla troppo.

Il piacere è una cosa molto gradevole, ma ha una fastidiosa tendenza a divorarti: se ti ci abbandoni con troppa generosità è capace di toglierti tutto il resto col pretesto di spassartela. *Usare* i piaceri, come dice Montaigne, significa non permettere che nessuno di essi ti precluda tutti gli altri, che nessuno ti nasconda completamente il *contesto* niente affatto semplice della vita in cui ogni piacere ha il suo momento. Ecco la differenza tra l'«uso» e l'«abuso»: quando usi un piacere arricchisci la tua vita e non quel singolo piacere ma la vita stessa ti piace sempre di più; il segnale del fatto che ne stai abusando è questo: la tua vita si impoverisce, non ti interessa più la vita nel suo complesso, ma solo quel singolo piacere. Ossia, il piacere non è più un ingrediente gradevole della vita nella sua totalità, ma un rifugio per *sfuggire* alla vita, per nasconderti e poterla più facilmente denigrare...

A volte usiamo l'espressione «muoio di piacere».

Niente da obiettare se è una metafora, perché uno degli *effetti* positivi del piacere, quando è molto intenso, è quello di *dissolvere* tutte le armature della routine, della paura, della banalità che ci portiamo addosso e che spesso ci affliggono più che proteggerci; quando perdiamo queste corazze ci sembra di morire rispetto a quello che siamo normalmente, ma moriamo per rinascere subito dopo più forti e coraggiosi. Per questo i francesi, specialisti raffinati in questo campo, chiamano l'orgasmo «la petite mort», la piccola morte... Una morte che ci fa vivere di più e meglio, che ci rende più sensibili, dolci e appassionati. Ma certamente, in altri casi, il piacere che proviamo minaccia di ucciderci nel senso più letterale e irrimediabile del termine. Uccide la nostra salute e il nostro corpo, o ci rende dei bruti uccidendo la nostra umanità, la nostra attenzione per gli altri e per tutto quello che costituisce la nostra vita. Non voglio negare che esistano certi piaceri per i quali vale la pena di *giocarsi* la vita. L'«istinto di conservazione» a tutti i costi è un'ottima cosa ma non è più di questo: un istinto. E noi esseri umani non siamo fatti solo di istinti. Dal punto di vista del medico o del vigliacco di professione certi piaceri ci danneggiano e nascondono un *pericolo*, benché da una prospettiva meno clinica continuino a essere degni di rispetto e considerazione.

Certo, consentimi di diffidare di tutti i piaceri il cui principale fascino paia essere il «danno» o il «pericolo» che si portano dietro. Una cosa è «morire di piacere», un'altra, molto diversa, è che il piacere consista nel morire... o almeno nel rischiare la morte. Quando un piacere ti uccide, o sta sempre sul punto di farlo — sennò non ti piace — oppure tende a uccidere quello che c'è di umano nella tua vita (ossia ciò che rende la tua esistenza ricca di complessità e ti permette di metterti nei panni degli altri)... è una *punizione* travestita da piacere, una vile trappola della nostra nemica, la morte.

L'etica ha la funzione di garantire che vale la pena di vivere, che persino con tutte le pene che la vita comporta, vale la pena. Perché proprio grazie alle sofferenze possiamo arrivare a provare i piaceri della vita, sempre contigui — è destino — ai dolori. Se mi costringi a scegliere tra le sofferenze della vita e i piaceri della morte, preferisco senza dubbio le prime... appunto perché quello che mi piace è godere e non perire! Non voglio quei piaceri che mi fanno fuggire dalla vita, ma quelli che me la rendono più gratificante.

È arrivato il momento della domanda da cento milioni: qual è la massima *gratificazione* che possiamo avere nella vita? Qual è la ricompensa più elevata che ci può venire da uno sforzo, una carezza, una parola gentile, la musica, la conoscenza, una macchina, o da montagne di soldi, dal prestigio, dalla gloria, dal potere, dall'amore, dall'etica o da quello che ti pare? Ti avverto che la risposta è talmente semplice che corre il rischio di deluderti: *il massimo che possiamo ottenere da qualsiasi cosa è la felicità.* Tutto quello che ci rende felici è giustificato (almeno da un determinato punto di vista anche se non in assoluto) mentre quella che ci allontana senza rimedio dalla felicità è una strada sbagliata.

Che cos'è la felicità? Un «sì» alla vita che ci scaturisce spontaneo da dentro, a volte quando meno ce lo aspettiamo. Un «sì» a quello che siamo, o meglio a quello che *sentiamo* di essere. Chi è contento ha già avuto il premio più grande e non sente la mancanza di nulla; chi non è felice — per quanto sia saggio, bello, sano, ricco, forte e santo — è un miserabile, privo della cosa più importante.

Stammi a sentire: il piacere è una cosa stupenda e desiderabile quando siamo capaci di metterlo al servizio della felicità, non lo è quando la intorbida o la compromette. Il limite negativo del piacere non è il dolore e neppure la morte, ma la felicità: quando cominciamo a perderla per un godimento determinato, è certo che stiamo godendo di qualcosa che non ci conviene. Il fatto è che la felicità (non so se mi capisci ma non riesco a spiegarmi meglio) è un'esperienza che abbraccia piacere e dolore, vita e morte; in definitiva è l'*accettare* il piacere e il dolore, la vita e la morte.

L'arte di mettere il piacere a servizio della felicità, ossia la virtù di non cadere dal gusto al disgusto viene chiamata, fin da tempi molto antichi, *temperanza*. È una caratteristica fondamentale dell'uomo libero, ma oggi non è molto di moda: si tende a sostituirla con l'*astinenza* radicale o con la *proibizione* poliziesca. Piuttosto che cercare di usare bene una cosa che si può anche usare male (di cui, cioè, si può abusare), quelli che sono nati robot preferiscono rinunciarci del tutto o, meglio ancora, farsela proibire dall'esterno in modo che la loro volontà debba fare meno fatica. Questo tipo d'uomo diffida di tutto quello che gli piace o, peggio ancora, crede che gli piace ciò di cui diffida. «Non lasciatemi andare in una bisca perché mi giocherei tutto! Non fatemi fare un tiro a uno spinello o diventerò schiavo della droga!», eccetera. Proprio come chi si compra una macchina per fare i massaggi alla pancia per risparmiarsi la fatica di fare le flessioni.

Ovvio, quanto più uno si impone di fare a meno delle cose, più le desidera follemente, più ci si abbandona con la coscienza sporca, dominato dal più triste di tutti i piaceri: quello di sentirsi *colpevole*. Non illuderti: quando uno ama sentirsi «colpevole», quando è convinto che un piacere sia più autentico se è in qualche modo «proibito», sta invocando a gran voce una *punizione*... Il mondo è pieno di presunti «ribelli» che in fondo desiderano solo che qualcuno li punisca per il fatto di essere liberi, sperano che un potere superiore di questo o dell'altro mondo impedisca loro di restare soli con le tentazioni.

Invece la temperanza è amicizia intelligente con quello che ci dà godimento. A chi ti dice che i piaceri sono una forma di «egoismo» perché mentre tu godi c'è sempre qualcuno che sta soffrendo, rispondi che è giusto aiutare l'altro a smettere di soffrire per quanto è possibile, ma non è sano provare rimorso perché non stiamo soffrendo anche noi o perché noi stiamo godendo e l'altro vorrebbe ma non può. Per comprendere la sofferenza di chi sta male e cercare di porvi rimedio basta l'interesse per il benessere dell'altro; la vergogna per il proprio piacere non serve a niente. Solo chi vuole rovinarsi la vita e desidera rovinarla anche agli altri può arrivare a credere che si provi piacere *contro* qualcuno. Se vedi che uno considera «sporchi» e «bestiali» tutti i piaceri che non può condividere o che non osa concedersi, ti autorizzo a considerare lui sporco e animale. Ma mi sembra che la questione ormai sia abbastanza chiara, o no?

## Vatti a leggere...

«Quello che l'udito desidera ascoltare è musica, e la proibizione di ascoltare musica si chiama impedimento dell'udito. Quello che l'occhio desidera vedere è la bellezza, e la proibizione di vedere cose belle si chiama impedimento della vista. Quello che il naso desidera è sentire profumi, e la proibizione del sentire profumi è chiamata ostruzione dell'olfatto. La bocca vuole parlare del giusto e dell'ingiusto, e la proibizione di parlare del giusto e dell'ingiusto è chiamata ostruzione dell'intendimento. Il corpo desidera godere di alimenti ricchi e abiti sontuosi e la proibizione a godere di queste cose si chiama impedimento delle sensazioni del corpo. La mente vuole essere libera, e la proibizione di questa libertà si chiama impedimento della naturalità» (Yang Chu, III secolo d.C.).

«Il vizio corregge più della virtù. Sopporta un vizioso e il vizio finirà per farti orrore. Sopporta un virtuoso e ben presto avrai in odio la virtù nel suo complesso» (Tony Duvert, *Abbecedario malevolo*).

«La moderazione presuppone il piacere; l'astinenza no. Perciò ci sono più astemi che moderati» (Georg C. Lichtenberg, *Osservazioni e pensieri*, cit).

«La sola libertà che meriti questo nome è quella di perseguire il nostro bene a nostro modo, purché non cerchiamo di privare gli altri del loro o li ostacoliamo nella loro ricerca. Ciascuno è l'unico autentico guardiano della propria salute, *sia* fisica *sia* mentale e spirituale. Gli uomini traggono maggior vantaggio dal permettere a ciascuno di vivere come gli sembra meglio che dal costringerlo a vivere come sembra meglio ad altri» (John Stuart Mill, *Saggio sulla libertà*, Il Saggiatore, Milano 1981, p. 36).

# 9
## Elezioni generali

Siccome te lo sentirai dire da tutte le parti, non c'è alternativa: dobbiamo parlarne un poco. «La politica è una vergogna! I politici non hanno morale!». E chissà quante altre cose del genere hai sentito ripetere un milione di volte! La prima norma, nel campo di cui stiamo parlando, è quella di diffidare di tutti quelli che credono di avere l'obbligo «sacrosanto» di lanciare tuoni e fulmini morali contro la gente *in generale*, i politici, le donne, gli ebrei, i farmacisti o il puro e semplice *essere umano preso in quanto specie*.

L'etica (l'abbiamo già detto ma non fa male ripeterlo) non è un'arma da lancio né una munizione per sparare cannonate sul prossimo e colpirlo nella stima di se stesso. E ancor meno sul prossimo in generale, come se gli esseri umani fossero fatti in serie come le ciambelle. L'etica serve soltanto a tentare di migliorare se stessi, non a fare una predica piena di belle parole al vicino; e l'unica cosa che l'etica sa per certo è che il vicino, tu, io e tutti gli altri, siamo fatti artigianalmente, uno per uno, con amorevole diversificazione. Perciò a chi ci ruggisce nell'orecchio: «Tutti i... (politici, neri, capitalisti, australiani, pompieri e quello che si vuole) sono degli immorali, e non hanno neanche un briciolo di morale!», si può rispondere gentilmente: «Pensa per te, stupido!» o qualcosa di simile.

Ma allora: perché i politici hanno una così brutta

fama? In fin dei conti, in una democrazia siamo tutti politici, direttamente o in rappresentanza di altri. La cosa più probabile è che i politici assomiglino a coloro che li votano molto, forse anche *troppo*; se fossero molto diversi da noi, molto peggiori o straordinariamente migliori, è certo che non li voteremmo per rappresentarci nel governo. Solo i governanti che non arrivano al potere per mezzo di elezioni generali (come i dittatori, i leader religiosi o i re) basano il proprio prestigio sul fatto di essere considerati *diversi* dagli uomini comuni. Dato che sono diversi dagli altri (per la loro forza, per ispirazione divina, per la famiglia a cui appartengono, o per quello che sia) credono di avere il diritto di comandare senza sottomettersi alle urne e senza ascoltare l'opinione di ognuno dei propri concittadini.

Questo sì: assicureranno molto seriamente che il «vero» popolo sta con loro, che la «piazza» li appoggia con tanto entusiasmo che non è neanche necessario contare i loro sostenitori per sapere se sono molti o meno di molti. Invece, coloro che vogliono raggiungere le cariche pubbliche per via elettorale, fanno di tutto per presentarsi al pubblico come gente comune, molto «umana», con le stesse debolezze, gli stessi problemi e piccoli difetti della maggioranza del cui consenso hanno bisogno per governare. Naturalmente propongono idee per migliorare la gestione della società e si considerano capaci di metterle in pratica con competenza, ma sono idee che qualsiasi persona deve poter comprendere e discutere, così come devono accettare anche la possibilità di essere sostituiti se non sono tanto competenti quanto hanno detto o tanto onesti come sembrava. Tra questi politici ve ne saranno di puliti e altri con la faccia di bronzo e profittatori, come capita tra i pompieri, i professori, i sarti, i calciatori e in qualsiasi altro ambiente. Ma allora, da dove viene la loro cattiva fama?

Per cominciare occupano posti particolarmente «in vista» e privilegiati nella società. I loro difetti sono più pubblici di quelli delle altre persone, e inoltre hanno maggiori occasioni di incorrere in piccoli o grandi abusi rispetto alla maggioranza dei cittadini. Anche il fatto di essere conosciuti, invidiati e addirittura temuti non li aiuta a essere trattati con equanimità. Le società ugualitarie, e cioè democratiche, sono assai poco comprensive verso coloro che stanno al di sopra o al di sotto della media: colui che emerge viene voglia di prenderlo a sassate, e chi va a fondo viene calpestato senza tanti complimenti.

D'altro canto, i politici di solito sono propensi a fare più promesse di quelle che saprebbero o vorrebbero mantenere. La loro clientela lo esige: chi non esagera le possibilità del futuro di fronte ai propri elettori e mette l'accento più sulle difficoltà che sulle illusioni, presto rimane solo. Se giochiamo a credere che i politici hanno poteri soprannaturali, poi non li perdoneremo quando, com'è inevitabile, ci deluderanno. Se avessimo meno fiducia in loro fin dal principio, non dovremmo imparare a diffidare tanto dopo. In fin dei conti è sempre meglio che siano normali, tonti e perfino un po' «salami», come te o come me, fin tanto che è possibile criticarli, controllarli e cambiarli ogni tanto; il brutto viene quando sono «capi» perfetti, dato che presuppongono di essere sempre in possesso della verità, non si possono mandare a casa se non a fucilate...

Lasciamo in pace i signori politici, che già fanno abbastanza casino senza il nostro aiuto. Adesso quello che a me e a te interessa è sapere se l'etica e la politica hanno qualcosa in comune e in che modo sono in relazione. Per quanto concerne il loro scopo, ambedue sembrano fondamentalmente imparentate: non si tratta di *vivere bene* in tutti e due i casi? L'etica è l'arte di scegliere quello che ci conviene di più e vivere meglio possibile; l'obiettivo della politica è quello di organizzare al meglio la convivenza sociale, in modo che ciascuno possa scegliere ciò che gli conviene. Dato che nessuno vive isolato (già ti ho detto che trattare i nostri simili umanamente è la base per vivere bene), chiunque si ponga la preoccupazione etica di vivere bene non può disinteressarsi completamente alla politica. Sarebbe come pretendere di star comodo in una casa senza voler saper nulla dei rubinetti, dei topi, del riscaldamento, dei calcinacci che cadono e possono far crollare l'intero edificio mentre dormiamo...

Eppure non mancano delle differenze importanti tra etica e politica. Per cominciare l'etica si occupa di quello che il *singolo* (tu, io, o qualsiasi altra persona) fa della propria libertà, mentre la politica tenta di coordinare nella maniera più vantaggiosa per la collettività quello che *molti* fanno della propria libertà. Nell'etica l'importante è *volere* con chiarezza, perché non si tratta d'altro che di quello che ciascuno fa perché lo vuole (non di quello che succede, che uno lo voglia o no, né di quello che si è costretti a fare). Per la politica, invece, quello che conta sono i *risultati* delle azioni, quale che sia il motivo, e il politico cercherà di fare pressioni con i mezzi a sua disposizione — compresa la forza — per ottenere certi risultati ed evitarne altri.

Prendiamo un caso banale: il rispetto del semaforo. Da un punto di vista morale, voler rispettare il rosso è positivo (perché ne capisco l'utilità generale, perché mi metto al posto di chi potrebbe essere danneggiato se infrango la norma, eccetera); ma se consideriamo il problema dal punto di vista politico ciò che importa è che nessuno passi col rosso, anche se lo fa solo per paura della multa o della prigione. Per il politico tutti quelli che rispettano il rosso sono altrettanto «buoni», che lo facciano per paura, per routine, per superstizione o per convincimento razionale; per l'etica, al contrario, meritano vero apprezzamento solo questi ultimi perché sono quelli che capiscono meglio l'uso della libertà. In poche parole, vi è differenza tra la domanda etica che io pongo a me stesso (come voglio *essere*, indipendentemente dagli altri?) e la preoccupazione politica che la maggioranza *funzioni* nel modo che consideriamo più raccomandabile e armonioso.

Dettaglio importante: l'etica non può *aspettare* la politica. Non stare a sentire quelli che ti dicono che il mondo è politicamente invivibile, che va sempre peggio, che nessuno può pretendere di vivere bene (da un punto di vista etico) in condizioni tanto ingiuste, violente e aberranti come quelle del presente. Le stesse cose le hanno dette in tutte le epoche e a ragione, perché le società umane non sono mai state «dell'altro mondo», come si suol dire, sono state sempre di questo mondo e perciò piene di difetti, di abusi, di delitti. Però in tutte le epoche ci sono state persone capaci di vivere bene o perlomeno impegnate a tentare di vivere bene. Quando potevano, collaboravano a migliorare la società in cui gli era toccato muoversi; se questo non gli era possibile, perlomeno non la peggioravano, il che la maggior parte delle volte non è poco. Lottarono — e lottano anche oggi, non vi è dubbio — affinché le relazioni umane dal punto di vista politico diventino più umane (ovvero meno violente e più giuste); ma non hanno mai aspettato che tutto intorno a loro fosse perfetto e umano per aspirare alla perfezione e alla vera umanità. Vogliono essere i primi a vivere bene, quelli che trascinano gli altri, e non gli ultimi a rimorchio di tutti. Forse le circostanze non permettono loro che di condurre una vita *relativamente* buona, il che è al di sotto dei loro desideri... va bene, e allora? Sarebbero più sensati se fossero completamente malvagi, per far piacere a quanto di peggio c'è al mondo e dispiacere a quanto di meglio hanno in se stessi? Se sei sicuro che tra gli alimenti che ti offrono molti sono adulterati o marci, tenterai finché puoi di mangiare cose sane, anche sapendo che non per questo smetteranno di esserci dei veleni sul mercato, o ti avvelenerai per fare come fanno gli altri?

Nessun sistema politico è così cattivo che in esso non vi possa essere nulla di buono: per avverse che siano le circostanze, la responsabilità finale dei propri atti ce l'ha ognuno e il resto sono alibi. Allo stesso modo, nasconde la testa sotto la sabbia chi sogna un sistema politico perfetto (*utopia*, lo chiamano di solito) in cui tutti quanti sarebbero «automaticamente» buoni perché le circostanze non permettono di fare il male. Per quanto male vi sia in giro, vi sarà sempre del bene per chi *voglia* il bene; ma per quanto bene fossimo riusciti a costruire pubblicamente, il male sarà sempre alla portata di chi *voglia* il male. Ti ricordi? Questo l'abbiamo chiamato «libertà» già da un bel pezzo...

Da un punto di vista etico, e cioè, per quanto concerne la buona vita, quale sarà l'organizzazione politica auspicabile, quella che bisogna sforzarsi di ottenere e difendere? Se ripassi un po' quello che abbiamo detto fin qui (temo, ahimè, che la matassa sia diventata troppo lunga perché tu possa ricordarti tutto), certi aspetti di questo ideale ti verranno in mente appena ci rifletterai con attenzione.

a) Dato che il progetto etico parte dalla *libertà*, senza la quale non c'è vita che valga la pena di essere vissuta, il sistema politico desiderabile dovrà rispettare al massimo — o limitare al minimo, come preferisci — gli aspetti pubblici della libertà umana: la libertà di riunirsi o di separarsi da altri, quella di esprimere le opinioni e quella di creare bellezza o scienza, quella di lavorare secondo la propria vocazione o i propri interessi, quella di intervenire con la propria opinione sui temi pubblici, quella di trasferirsi o installarsi in un luogo, quella di scegliere i piaceri del proprio corpo e dell'anima, eccetera. Si astengano le dittature, soprattutto quelle che sono «per il nostro bene» (o per «il bene comune», che poi è lo stesso). Il nostro maggior bene — individuale o comune — è essere liberi. Naturalmente, un regime politico che conceda la dovuta importanza alla libertà, insisterà anche sulla *responsabilità* sociale delle azioni e omissioni di ciascuno. (Dico «omissioni» perché a volte si fa *anche non facendo*.) Come regola generale, quanto meno il singolo è ritenuto responsabile dei suoi meriti o delle sue nefandezze (e per esempio si dica che sono frutto della «storia», della «società costituita», delle «reazioni chimiche dell'organismo», della «propaganda», del «demonio», o cose del genere) meno libertà si è disposti a concedergli. Nei sistemi politici in cui gli individui non sono mai del tutto «responsabili», non lo sono neppure i governanti che agiscono sempre mossi dalle «necessità» storiche o dagli imperativi della «ragion di Stato». Guardati dai politici per i quali chiunque è «vittima» delle circostanze... o «colpevole» di averle prodotte!

b) Il principio fondamentale della vita autentica è, come abbiamo visto, trattare le persone da persone, e cioè: essere capaci di metterci al posto dei nostri simili e di relativizzare i nostri interessi per armonizzarli con i loro. Se preferisci dirlo in un altro modo, si tratta di imparare a considerare gli interessi dell'altro come se fossero tuoi e i tuoi come se fossero dell'altro. Questa virtù si chiama *giustizia* e non può esistere regime politico onesto che non pretenda, per mezzo di leggi e istituzioni, di promuovere la giustizia tra i membri della società.

L'unica ragione per limitare la libertà degli individui, quando sia indispensabile farlo, è impedire, anche con la forza se non vi è altro modo, che trattino i loro simili come se non lo fossero, e cioè che li trattino come giocattoli, animali da soma, semplici utensili, esseri inferiori, eccetera. Ogni essere umano può esigere di essere trattato con *dignità* in quanto simile agli altri, quale che sia il suo sesso, il colore della pelle, le idee, i gusti, eccetera. Guarda un po' che buffo: anche se la dignità è ciò che tutti gli esseri umani hanno in comune, è precisamente ciò che permette di riconoscere ognuno come unico e irripetibile. Le cose si possono «scambiare» l'una con l'altra, si possono «sostituire» con altre simili o migliori, in poche parole: hanno il loro «prezzo» (il denaro in genere serve per facilitare questi scambi, poiché è una misura comune). Mettiamo da parte per ora il fatto che certe «cose» siano tanto legate alle condizioni dell'esistenza umana da risultare insostituibili e quindi «non si possono comprare per tutto l'oro del mondo», come succede per certe opere d'arte o certi aspetti della natura.

Ebbene, *ogni* essere umano ha dignità e non prezzo, e cioè non può essere sostituito né si può *maltrattare* a vantaggio di un altro. Quando dico che non può essere sostituito, non mi riferisco alla sua funzione (un carpentiere può sostituire un altro carpentiere nel suo lavoro) ma alla sua personalità, a ciò che veramente *è*; quando parlo di «maltrattare» voglio dire che neppure se viene punito in base alla legge o viene considerato un nemico politico, smette di essere creditore di rispetto e di attenzioni. Anche nella *guerra*, che è il maggior fallimento del tentativo degli uomini di costruire una «buona vita» comune, vi sono comportamenti che causano un crimine peggiore dello stesso crimine organizzato che è la guerra. È la dignità umana ciò che ci rende tutti simili proprio perché certifica che ognuno è unico, non intercambiabile e con lo stesso diritto di chiunque altro al riconoscimento sociale.

c) L'esperienza della vita ci rivela sulla nostra pelle, anche ai più fortunati, la realtà della sofferenza. Prendere gli altri sul serio, mettendoci al loro posto significa non solo riconoscere la loro dignità di simili ma anche solidarizzare con i loro dolori, con le disgrazie che per errore, incidente o per necessità biologica li affliggono, e che prima o poi possono affliggere tutti. Malattie, vecchiaia, debolezza, isolamento, confusione emotiva o mentale, perdita di ciò che amiamo di più o di cui non possiamo fare a meno, minacce o aggressioni violente dei più forti o di gente priva di scrupoli... una comunità politica auspicabile deve garantire, nei limiti del possibile, l'*assistenza* pubblica a coloro che soffrono e l'aiuto a coloro che per qualsiasi ragione non possono aiutare se stessi. La cosa più difficile è ottenere che questa assistenza non sia assicurata a prezzo della libertà e della dignità della persona. A volte lo Stato con il pretesto di aiutare gli invalidi finisce per trattare tutta la popolazione come se fosse invalida. Le disgrazie ci consegnano in mano agli altri e aumentano il potere collettivo sull'individuo: è molto importante sforzarsi perché questo potere non sia impiegato altrimenti che per rimediare carenze e debolezze, e non per perpetuarle in stato di anestesia in nome di una «compassione» autoritaria.

Chi desideri per se stesso una buona vita, in accordo al progetto etico, deve anche desiderare che la comunità politica degli uomini si basi sulla *libertà*, *giustizia* e *assistenza*. La democrazia moderna, nel corso degli ultimi due secoli, ha tentato di stabilire (prima in teoria e, un po' alla volta, nella pratica) queste esigenze minime che la società politica deve soddisfare. Sono i cosiddetti *diritti umani* la cui lista ancor oggi, per nostra vergogna collettiva, è un catalogo di buoni propositi più che di conquiste effettive. Insistere nel rivendicare la loro attuazione completa, in tutte le parti e per tutti, non solo per alcuni aspetti e solo per alcuni, continua a essere l'unica impresa politica di cui l'etica non possa disinteressarsi. Per quanto riguarda il distintivo che ti metterai sul bavero fintanto che bisognerà essere di «destra», di «sinistra», di «centro» o quello che sia... beh, deciderai tu, perché io considero queste etichette abbastanza antiquate.

Quello che mi sembra evidente è che molti dei problemi che oggi si presentano ai cinque miliardi di esseri umani stipati sul pianeta (e i dati del censimento continuano, ahimè, a salire) non possono essere risolti, e neanche ben posti se non in forma generale per tutto il mondo. Pensa alla fame, che fa morire ancora parecchi milioni di persone, o al sottosviluppo economico e culturale di molti paesi o alla sopravvivenza di sistemi politici brutali che opprimono senza pietà le loro popolazioni e minacciano i propri vicini o allo sperpero di denaro e di scienza per gli armamenti, o alla pura e semplice miseria di troppa gente anche nelle nazioni ricche, eccetera. Credo che l'attuale frammentazione politica del mondo (di un mondo già unito dall'interdipendenza economica e dal sistema delle comunicazioni su scala universale) non fa altro che perpetuare queste piaghe e paralizzare le soluzioni che vengono proposte.

Altro esempio: il militarismo, gli investimenti frenetici in armamenti di risorse che potrebbero risolvere la maggior parte delle carenze che oggi si soffrono nel mondo e lo sviluppo di una cultura della guerra d'aggressione (arte immorale di *sopprimere* l'altro invece di tentare di porsi al suo posto)... Credi che vi sia un altro modo di smetterla con questa follia che non sia la costituzione di un'autorità a livello mondiale con forza sufficiente di dissuasione verso la mania di chiunque a giocare alla guerra?

Infine, prima ti dicevo che alcune cose non sono sostituibili come lo sono altre: questa «cosa» sulla quale viviamo, il pianeta Terra, con il suo equilibrio vegetale e animale, non sembra che abbia un sostituto pronto e non è possibile «comprarci» un altro mondo se per

106

brama di guadagno o per stupidità distruggiamo questo. In fondo la Terra non è un insieme di toppe né di particelle: mantenerla abitabile e bella è un compito che gli uomini possono assumersi in quanto comunità mondiale, e non del miope individualismo sfrenato che ci mette gli uni contro gli altri.

Ecco a cosa voglio arrivare: quello che favorisce l'organizzazione degli uomini in accordo alla loro appartenenza al genere umano e non a tribù, in linea di principio mi sembra politicamente interessante. La diversità di forme di vita è qualcosa di essenziale (immaginati che noia se mancasse!) ma sempre che vi siano margini minimi di tolleranza tra una forma e l'altra e che certe questioni vedano riuniti gli sforzi di tutti. Sennò il risultato è una molteplicità di crimini e non di culture. Perciò ti confesso che *rigetto* le dottrine che oppongono senza rimedio gli uni agli altri: il *razzismo*, che classifica gli uomini come persone di prima, seconda e terza classe seguendo fantasie pseudo-scientifiche; i *nazionalismi* feroci, che pensano che l'individuo non è nulla e l'identità collettiva è tutto; le *ideologie* fanatiche, religiose o laiche che, incapaci di rispettare il pacifico conflitto di opinioni, impongono a tutti di credere in quelle che considerano la «verità» e non in altro, eccetera. Però adesso non voglio cominciare a darti il tormento con la politica né raccontarti i miei punti di vista sul divino e sull'umano. In quest'ultimo capitolo ho voluto solo segnalarti che vi sono esigenze politiche che nessuna persona che voglia vivere bene può eludere. Del resto parleremo presto... In un altro libro.

## Vatti a leggere...

«Non l'Uomo ma gli esseri umani abitano questo pianeta. La pluralità è la legge della Terra» (Hanna Arendt, *La vita della mente*, Il Mulino, Bologna 1987).

«Se fossi a conoscenza di qualcosa che mi fosse utile e che fosse pregiudizievole alla mia famiglia lo scaccerei dal mio spirito. Se sapessi qualcosa che fosse utile alla mia famiglia ma non alla mia patria, cercherei di dimenticarlo. Se sapessi qualcosa di utile per la mia patria che però fosse pregiudizievole all'Europa, o pure che fosse utile all'Europa ma pregiudizievole per il genere umano, lo considererei come un crimine, perché sono uomo per necessità, mentre non sono francese che per accidente» (Montesquieu).

«Tali costumi, dicevo, dei prìncipi, che ivi osservano così male i trattati, son forse il motivo per cui gli Utopiani non ne stringono affatto. Cangerebbero parere, forse, se vivessero qui. Senonché a loro pare che, anche se fossero bene osservati, brutta usanza è stata quella venuta su di consacrare a ogni costo trattati, come se popoli, cui separa per breve spazio una collina soltanto o un ruscello, non fossero l'uno all'altro legati da nessuna alleanza di natura! Da ciò avviene che si reputano tra loro nemici e avversari per nascita e, se non ci sono dei trattati a vietarlo, muovono a ragione gli uni a danno degli altri [...] Il loro pensiero invece è che non bisogna ritenere avversario nessuno, da cui non sia partita qualche offesa, che la parentela della natura tiene le veci di alleanza, e che meglio e più saldamente si legano fra loro gli uomini con sentimenti amichevoli anziché con trattati, con lo spirito anziché con parole» (Tommaso Moro, *Utopia*, cit., p. 105).

# Epilogo. *Pensaci su*

Ecco, ci siamo. A pezzi e bocconi, certo, ma credo che la cosa principale che c'era da dire l'abbiamo detta. Mi riferisco alla cosa «principale» che posso dirti adesso: ci sono altre cose, molto più importanti, che dovrai imparare da altri o, il che sarà anche meglio, le penserai da te. Non esigo che tu prenda questo libro troppo sul serio, per niente al mondo! Dopo tutto è molto probabile che non sia neppure un vero libro di etica, almeno se aveva ragione Wittgenstein. Questo grande filosofo del Novecento considerava talmente impossibile scrivere un *vero* libro di etica che affermò: «Se un uomo fosse in grado di scrivere un libro di etica che fosse veramente un libro di etica, questo libro, come un'esplosione, annienterebbe tutti gli altri libri del mondo».

Eccomi qui, sto finendo di scrivere queste pagine che ti ho dedicato e non ho sentito il boato di nessuna esplosione annientatrice. I miei vecchi libri tanto amati (compreso quello in cui Wittgenstein esprime l'opinione che ho citato prima) continuano fortunatamente a stare incolumi negli scaffali della mia biblioteca. A quanto vedo l'incantesimo non mi è riuscito, quello del libro di etica voglio dire: stai tranquillo. Altri assai migliori di me ci hanno già provato e neppure loro hanno fatto andare in pezzi il resto della letteratura che in ogni caso farai bene a cercare di conoscere: Aristotele, Spinoza, Kant, Nietzsche... Anche se mi sono proposto di non citarteli continuamente dato che stavamo parlando tra amici, ti confesso che le cose migliori che potevano esserci nelle pagine precedenti vengono da loro: è mia la paternità delle stupidaggini (scusami! non volevo alludere a te).

Insomma, non hai motivo di prendere troppo sul serio questo libro. Tra l'altro perché la «serietà» di solito non è un segno inequivocabile di saggezza come credono i rompiscatole: l'intelligenza deve saper *ridere*... Quanto al tema, invece, farai bene a non passarci sopra: riguarda quello che puoi fare con la tua vita e se non ti interessa questo non so proprio che cosa possa interessarti.

Come vivere nel miglior modo possibile? Questa domanda mi sembra molto più sostanziosa di altre apparentemente più tremende: «La vita ha un senso? Vale la pena di vivere? Esiste una vita dopo la morte?». Senti, la vita ha senso, un senso unico; va in avanti, non c'è la moviola, le giocate non si ripetono e non si possono correggere. Per questo bisogna riflettere su quello che uno vuole e pensare a quello che si fa. E poi... proteggere sempre l'animo dagli errori, perché anche il destino gioca e nessuno può vincere sempre.

Il senso della vita? Primo, cercare di non sbagliare; secondo, cercare di sbagliare senza abbattersi. Quanto alla domanda se vale la pena di vivere, ti rimando al commento che faceva su questo punto Samuel Butler, uno scrittore inglese che spesso aveva delle belle trovate: «È una domanda adatta a un feto, non a un uomo». Qualsiasi sia il criterio che scegli per giudicare se vale la pena di vivere o no, dovrai prenderlo proprio da questa vita in cui sei già sommerso. Persino se rifiuti la vita, lo farai in nome di valori vitali, di ideali o illusioni che hai appreso nell'esercizio delle tue funzioni di vivente. In modo tale che quello che vale è la vita...

anche per chi arriva alla conclusione che non vale la pena di vivere.

Sarebbe più ragionevole domandarsi se «la morte ha senso», se vale la pena di morire, perché è della morte che non sappiamo nulla, dato che tutto quello che sappiamo e tutto quello che per noi ha valore viene dalla vita! Credo che tutta l'etica degna di questo nome parta dalla vita e si proponga di rafforzarla, di renderla più ricca. Anzi, mi azzarderei ad andare oltre, ora che nessuno ci sente: penso che sia *buono* solo colui che sente un'*antipatia attiva verso la morte*. Attento! Dico «antipatia» e non «paura»; nella paura c'è sempre un principio di rispetto e una certa sottomissione. E non credo che la morte si meriti tanto... Però, c'è vita dopo la morte? Diffido di tutto quello che si deve ottenere grazie alla morte, accettandola, utilizzandola, accarezzandola, fosse pure la gloria in questo mondo o la vita eterna in qualche altro. Quello che mi interessa non è se c'è la vita *dopo* la morte, ma che ci sia vita *prima*. E che questa vita sia buona, non semplice sopravvivenza o continua paura di morire.

Resta aperta la domanda su come vivere meglio. Nel corso dei capitoli precedenti ho cercato non tanto di dare una risposta quanto di aiutarti a *comprenderla* più a fondo. Quanto alla risposta, mi sa che non ti resta altro che andartela a cercare personalmente. Per tre motivi:

a) Per l'incompetenza del tuo improvvisato maestro, che sarei io. Come posso insegnare a qualcuno a vivere bene se a malapena riesco a vivere in modo decente? Mi sento come un calvo che fa la pubblicità per una lozione per capelli insuperabile...

b) Perché saper vivere non è una scienza esatta come la matematica, ma un'arte come la musica. Puoi imparare certe regole della musica e ascoltare quello che è stato creato dai grandi compositori, ma se non

111

hai orecchio né senso del ritmo né voce, ti servirà a ben poco. Con l'arte di vivere succede lo stesso: tutto quello che si può insegnare è utile a chi è portato, ma per il «sordo» dalla nascita sono cose noiose o lo confondono ancora di più. Ovvio che in questo campo la maggior parte dei sordi lo sono *volontariamente*...

c) La vita buona non è una cosa generale, fabbricata in serie, è qualcosa che esiste solo *su misura*. Ciascuno deve inventarsela in accordo con la sua individualità unica, irripetibile e... fragile. La saggezza o l'esempio degli altri possono aiutarci a vivere bene ma non possono sostituirsi a noi...

La vita non è come le medicine che contengono sempre un foglietto con le controindicazioni e le dosi dettagliate in cui il farmaco deve essere assunto. La vita ce la danno senza ricetta e senza foglietti esplicativi. L'etica non può supplire del tutto a questa mancanza perché non è che la cronaca degli sforzi fatti dagli esseri umani per rimediarvi. Uno scrittore francese morto da poco, Georges Perec, ha scritto un libro intitolato proprio così: *La vita, istruzioni per l'uso*. Un delizioso e intelligente scherzo letterario, non un sistema di etica. Io ho rinunciato a darti una serie di istruzioni su questioni concrete: l'aborto, i preservativi, l'obiezione di coscienza, patatì e patatà. Né tantomeno ho avuto la presunzione (tanto orrendamente tipica di quelli che si considerano «moralisti»!) di farti la predica in tono commovente o indignato sui «mali» del nostro secolo: il consumismo, ah! la mancanza di solidarietà, eh! l'ansia di guadagno, oh! la violenza, uh! la crisi dei valori, ah, eh, oh, uh! Su questi e su altri argomenti ho le mie opinioni, però non sono l'«etica» in persona, sono solo papà. Tramite me, l'unica cosa che l'etica può dirti è che cerchi e pensi per conto tuo, in piena libertà: responsabilmente.

Ho tentato di insegnarti dei *modi* di camminare, ma

112

né io né nessun altro ha il diritto di portarti sulle spalle. Finisco con l'ultimo consiglio. Dato che si tratta di *scegliere*, cerca di fare sempre quelle scelte che ti apriranno poi un maggior numero di altre opzioni possibili e non quelle che ti mettono con la faccia al muro. Scegli quello che ti *apre*: agli altri, a nuove esperienze, a diversi modi di essere felice. Evita quello che ti chiude e ti sotterra. Per il resto, buona fortuna! E quell'altra cosa che una voce che sembrava la mia ti gridò quel giorno nel sogno quando il vortice minacciava di trascinarti via: abbi fiducia!

## Un saluto

«Addio, amico lettore, cerca di non passare la vita nell'odio e nella paura» (Stendhal, *Lucien Leuwen*).

# Appendice

## *Dieci anni dopo,*
## *di fronte al nuovo millennio*

Sono passati quasi dieci anni da quando ho scritto le pagine che avete appena terminato di leggere (perché le avete lette, non è così?: grazie davvero). Mio figlio Amador ha compiuto ormai venticinque anni − è incredibile con che sfacciataggine i figli fanno invecchiare i genitori con il pretesto di crescere! − e ormai non oso fargli raccomandazioni morali... né quasi di nessun altro tipo. Probabilmente oggi sa quali sono le cose importanti tanto quanto me: e certamente ne sa più di me per quanto riguarda le cose più importanti della nostra epoca. Forse un giorno sarà lui a scrivere un libro per me e di certo sarà migliore di questo modesto libretto che ho composto ormai tanto tempo fa, come se gli stessi scrivendo una lunga lettera. Dico «come se» perché in fin dei conti queste pagine non sono state pensate esclusivamente, e neppure principalmente, per lui (mi ha già sopportato abbastanza di persona!): in realtà le ho scritte per te, lettrice o lettore, per te che adesso che mi stai leggendo avrai un po' più di quindici anni e un po' meno di diciotto, per te che non conosco anche se in questi dieci anni, per mia fortuna, di ragazzi e ragazze come te ne ho conosciuti tanti. Per te che nutri dubbi e desideri, che vuoi divertirti ma anche essere giusto, che non ti vergogni di pensare e che vuoi sapere quali sono le strade dell'avventura umana. Insomma, per te, avventuriera o avventurie-

115

ro, perché essere razionali e umanamente solidali è l'unica avventura che valga la pena...

Cosicché, ora che è ormai passato abbastanza tempo – o troppo tempo, ahimè! – e Amador se ne è andato a giocare la carta della sua vita senza maestri né intermediari, posso finalmente parlare direttamente e unicamente con te. Vorrai ascoltarmi ancora un po'? Immagino che, come tutti, starai sentendo parlare molto del nuovo millennio. Il nuovo millennio, pensa un po', con le sue minacce e le sue speranze! E forse sei giunto perfino a domandarti se ci sarà qualcosa come un'«etica del nuovo millennio». La cosa ti interessa, com'è logico, perché dopo tutto passerai la maggior parte della tua vita nel famoso millennio (mentre alcuni di noi dovranno starci solo un poco, nient'altro che per una breve visita: gli inevitabili sopravvissuti del XX secolo). Dunque, il punto è il seguente: ciò che abbiamo detto il secolo scorso è ancora valido per quello nuovo che stiamo inaugurando? Oggi, e soprattutto domani, le cose non saranno forse troppo cambiate, troppo inedite? Non sarebbe il caso di cominciare a pensare in un modo diverso, visto che tutto sembra dimostrare che vivremo in un modo diverso? Per rispondere, per quanto possibile, a queste domande, aggiungerò per te, lettore, queste righe finali.

Per incominciare, ti dirò che non credo che la faccenda del cambiamento di secolo e di millennio debba preoccuparci granché. Né i secoli né i millenni costituiscono una misura adeguata per la vita concreta della gente normale come te e me, che difficilmente riusciremo a durare cent'anni e, ovviamente, in nessun caso ne sopravviveremo mille. Le cose che per noi contano di più, con il loro carico di piaceri e di dolori, di solito durano qualche giorno o qualche ora, a volte pochi minuti: il tempo fugace della risata e del sospiro. E poi, che importanza possono avere i numeri che compaiono nel calendario, che siano dei nove, degli zero o degli uno? La data non c'entra affatto con ciò che accade: al contrario, è ciò che accade quel che rende la data utilizzabile per collocare storicamente un evento straordinario. Gli avvenimenti più notevoli del 1616 furono la morte di Cervantes e di Shakespeare, e non venitemi a dire che si trattava di un numero maledetto... o che i due grandi geni morirono quasi contemporaneamente per colpa di una cifra simile!

In fin dei conti, la cronologia è come la numerazione delle pagine di un libro: non determina ciò che si narra in ognuna di esse (il protagonista può baciare la fanciulla sia a pagina quaranta sia a pagina centotré), ma serve a stabilire l'indice dei capitoli, cosa che ha ben poco a che vedere con il tema della narrazione. Quindi, per il fatto che i calendari passino dall'uno seguito da molti nove al due seguito dagli zero o da due zero e un uno, non potrà accadere niente di bello o di brutto. Solo i venditori di souvenir e di T-shirt prendono sul serio queste cose... o magari coloro che utilizzano il computer e temono che il cosiddetto «effetto duemila» faccia impazzire quella loro macchina da cui dipendono ormai tante operazioni quotidiane.

Però ti vedo corrugare le sopracciglia, hai l'aria di voler fare un'obiezione: non è forse evidente che la vita umana cambia da un anno all'altro, che mezzo secolo fa non avevamo televisione, videoregistratori, Internet, carte di credito, AIDS, viaggi spaziali e che altro...? Non vorrà mica dirci, professore, che tutte queste trasformazioni, anche se non hanno niente a che vedere con i fogli del calendario, non contano nulla quando ci mettiamo a riflettere sul modo migliore di vivere? Be', certo, hai ragione... ma non del tutto. Prima di dirti in che senso mi sembrano importanti per noi questi indiscutibili cambiamenti, vediamo di ricordarci per un momento di ciò che invece non cambia. E lascia che ti racconti una breve storia, un vero e proprio racconto cinese che forse mi hai già sentito menzionare.

Un tempo, nell'antica Cina, viveva un giovane principe che, alla morte del padre, divenne imperatore. Nutriva un'ambizione nobile, non comune, come avrebbe dovuto esserlo, fra i governanti: voleva essere perfettamente giusto e rendere felice il suo popolo. Per questo decise di documentarsi esaurientemente sulla storia del paese, la geografia, le varie tradizioni e religioni, le risorse naturali, le ultime ricerche scientifiche nel campo della psicologia e della sociologia, i progressi tecnologici eccetera... Insomma, voleva sapere assolutamente tutto di come i suoi sudditi vivevano e avevano vissuto in passato, allo scopo di poterli governare in futuro nel miglior modo possibile. Con questo obiettivo, riunì i saggi più illustri del suo regno e chiese loro una relazione enciclopedica e completa che dissipasse tutti i suoi dubbi. Gli esperti si misero immediatamente e coscienziosamente al lavoro. Passarono i mesi, passò un anno e poi un altro e poi un altro ancora...

Dieci anni dopo, il comitato dei saggi si presentò al cospetto dell'imperatore, trasportando con grande difficoltà trenta volumi enormi di varie migliaia di pagine, ognuno di essi contenente il risultato delle loro ricerche. Ma l'imperatore, già preso dai mille obblighi inderogabili del governo, si spazientì davanti a un'opera così prolissa: «Non ho tempo di leggere tutti questi scartafacci! Ho bisogno di qualcosa di più stringato. E cercate di fare in fretta, poiché ho urgenza di dare inizio alle riforme ancora in sospeso!». Gli scienziati si ritirarono con riverenze rispettose e misero mano all'opera. Fra discussioni e modifiche passarono altri dieci anni, a capo dei quali i saggi tornarono dall'im peratore recandogli quindici ponderosissimi volumi. In quel periodo, l'imperatore stava cercando di soffocare una ribellione nelle province settentrionali, combatteva sulla frontiera orientale contro un vicino ostile e cercava di alleviare le conseguenze disastrose delle grandi inondazioni nel sud. «Dove pensate che possa trovare il tempo per studiare tutta questa roba? Presto, preparatemi un riassunto che io possa davvero utilizzare, senza indulgere in inutili dettagli!» Lamentando l'esiguità di una simile richiesta, gli eruditi si ritirarono ancora una volta e con enormi sforzi riuscirono a riassumere tutto il loro sapere in un unico, congestionato e monumentale librone. Purtroppo una simile impresa richiese altri dieci anni e quando tornarono trionfanti a palazzo, colui che un tempo era stato un giovane principe si trovava sul suo letto di morte. L'agonia non è il momento migliore per informarsi, cosicché i saggi ritennero assolutamente inopportuno lasciare l'enciclopedia sul comodino del moribondo. Tuttavia, il presidente del comitato dei saggi non si rassegnava all'idea che il lavoro commissionato dovesse essere totalmente inutile; si avvicinò alla testiera del letto dove giaceva l'imperatore e gli sussurrò all'orecchio questo messaggio definitivo: «Gli esseri umani nascono, amano, lottano e muoiono». Forse non è stato sempre così in tutti i paesi, in tutte le culture e tutte le epoche? È davvero necessario sapere molto di più per affrontare con cognizione di causa il progetto sempre aperto della vita buona?

La morale di questa storia è che non conviene aspettare ogni trimestre e neppure ogni secolo (e, oserei dire, nemmeno ogni millennio) le novità essenziali che modifichino le basi della riflessione etica. Tuttavia, una cosa sono i princìpi e ben altra la loro applicazione concreta nei singoli momenti storici. In questo senso sì che conviene prendere in considerazione i cambiamenti che si verificano – e, certamente, in modo assai veloce! – nella nostra epoca. Un esempio concreto: nell'ultimo capitolo di questo libro ti parlavo del fatto che al mondo eravamo già cinque miliardi di esseri umani. Ebbene, come forse saprai, poche settimane fa il segretario generale dell'ONU ha solennemente proclamato la nascita del nostro simile numero... sei miliardi! Quindi, tutto quel che ti dicevo in proposito in *Elezioni generali* è divenuto ancor più grave e più urgente.

L'essere umano esiste in tre gradi interrelati: come individuo, come società e come specie. Nel corso dei secoli, ha contato molto la società (il gruppo, la tribù, la comunità, la nazione) e poco l'individuo: e tuttora esistono alcuni collettivisti che vorrebbero riportarci a quella fase arcaica. È da pochi secoli che l'individuo ha incominciato a essere sempre più importante, inducendo necessariamente le società in cui viviamo a trasformarsi, rendendole più democratiche e aperte per tutti, perché nessuno vuole più essere il semplice ingranaggio di una macchina sociale, quantunque possa essere ben lubrificata. Tuttavia, l'aspetto caratteristico del nostro secolo – e se non vado errato, ancor più di quello venturo – è prendere coscienza del fatto che apparteniamo a una stessa specie e che l'umanità deve cercare di salvarsi tutta insieme... altrimenti moriremo tutti, chi prima, chi poi. Parlare di «specie umana» o, per meglio dire, di «umanità», non significa utilizzare un concetto puramente biologico (come quando classifichiamo altre specie animali o vegetali), ma mirare a un progetto comune, a un modo di comprendere l'essenza umana a partire dalla sua fondamentale fratellanza. Equivale a qualcosa che potremmo riassumere così: essere umano significa non riuscire a capire se stessi se si trascura e s'ignora il resto dei propri simili. Un autore latino disse: «Sono umano e nulla di ciò che è umano mi è alieno»; vale a dire, rispetto al meglio e al peggio degli esseri umani è possibile avere giudizi e valutazioni differenti, ma non si può mai essere indifferenti, poiché l'umanità dell'altro chiama sempre in causa la mia...

Non prendiamoci in giro: vivere così non è affatto comodo, soprattutto se vogliamo andare oltre le belle parole. Non c'è nulla di più facile che amare l'Umanità in astratto, specialmente quando si vuole apparire sublimi per fare bella figura: dopo tutto, nessuno di noi incontrerà mai la signora Umanità né sarà costretto a cederle il posto in autobus; ma ciò che è veramente difficile è rispettare gli altri esseri umani reali e ancor di più se sono «strani», se vengono da lontano, se parlano un'altra lingua e hanno altre credenze, come ormai accade in molte delle nostre città. Rispettare il prossimo che ci somiglia è abbastanza ovvio, perché in certo modo equivale a rispettare noi stessi, visto che siamo come lui: la difficoltà inizia quando dobbiamo accettare il diverso, l'estraneo, lo straniero, l'immigrante. Dopotutto, noi umani siamo animali gregari e pertanto ci piace vivere in gregge, vale a dire, fra coloro che più ci assomigliano. Vivere in gregge è come vivere davanti a uno specchio: intorno a noi vediamo sempre facce che riflettono la nostra, che parlano come noi, che mangiano le stesse cose, che ridono o piangono per ragioni simili. Ma all'improvviso arriva qualcuno che non appartiene al nostro clan, che ha un odore o un colore diverso, che parla un'altra lingua. Allora, l'animale gregario che è in ognuno di noi si spaventa, incomincia a diffidare, si sente in pericolo, crede di essere «invaso». In una parola, ecco che diventiamo aggressivi e pericolosi...

Poiché ad aumentare non sono soltanto gli abitanti del pianeta, ma anche le possibilità di viaggiare e di comunicare, la presenza di «estranei» nel nostro gregge o nella nostra tribù cresce continuamente. Se vivi in una grande città te ne sarai già abbondantemente accorto; se studi in un centro come si deve, di quelli che non escludono né discriminano nessuno per mantenere la loro disumana «purezza» gregaria, forse, nella scuola o istituto che frequenti, siedi accanto a qualcuno che non è proprio uno «specchio» per te, ma che si presenta in un modo abbastanza diverso. Ed è molto probabile che, all'inizio, ti farai dei problemi... come, ovviamente, se ne farà l'altro! Ora sappi che state per dare inizio a qualcosa in comune: sentirvi e sapervi «diversi» da colui che, comunque, vive al vostro fianco. Ma se controllerai i tuoi istinti gregari, se non ascolterai i cupi mugugni della pecora stolta in agguato dentro di te, scoprirai presto che con quel forestiero condividi molte più cose di quelle che in apparenza ti distinguono da lui. Capirai che vi assomigliate nelle cose essenziali, che anche lui, o lei, è nato, e ama, e lotta e sa, proprio come te, che un giorno dovrà morire. Capirai che come te ha bisogno di parole e di comprensione, di appoggio e di riconoscimento.

Ora mi viene in mente un cartone animato dei Simpson: Homer va in visita in una specie di manicomio dove gli additano un tipo stranissimo, feroce e peloso; i dottori dicono che nessuno ha mai sentito quel mostro proferire la benché minima parola umana. Homer, allora, lo saluta: «Ciao!». E anche la fiera grugnisce un «ciao». Tutti i medici accorrono ammirati per studiare il prodigio, mentre il presunto mostro mugugna: «Era ora che qualcuno mi salutasse!». La maggior parte delle volte, l'altro risulta incomprensibile perché nessuno ha la pazienza di prendersi la briga di cercare di farsi capire...

In lingua castigliana, come peraltro anche in italiano, la parola «ospite» indica due ruoli apparentemente contrapposti: quello di colui che alloggia in casa d'altri e quello di colui che invece ospita un altro in casa propria. Ma forse questo duplice uso un poco sconcertante racchiude in sé una verità molto profonda sulla condizione umana. Perché tutti siamo nello stesso momento il forestiero ricevuto in casa d'altri e l'anfitrione che lo ospita e deve preoccuparsi del suo benessere. Dal momento in cui nasciamo – e non dimenticate che nascere è «giungere in un paese straniero», come disse un antico greco – dipendiamo dall'ospitalità che altri vorranno darci e senza la quale non potremmo vivere. Tuttavia, siamo sempre noi che presto dobbiamo occuparci di altri che sono arrivati dopo, cercando di farli sentire il più possibile a loro agio.

Non domandarti che diritto abbia l'altro alla tua ospitalità; ricordati solo che anche tu ne hai avuto bisogno e l'hai avuta; e se non l'hai avuta, ricordati che volevi ottenerla e tratta l'altro come avresti voluto essere trattato tu e non come, di fatto, ti hanno trattato. In fin dei conti, tutti gli uomini sono immigranti in questo pianeta e, certamente, chi arriva da un altro paese non viene da più lontano né è più straniero di colui che per la prima volta sboccia dal nulla nel grembo di sua madre. Chi può assomigliarti di più, chi ha più diritto a chiamarsi tuo simile e perfino fratello di colui e colei che arriva da chissà dove, e quanto più da lontano, tanto meglio? Forse tutta l'etica di cui tanto si parla può riassumersi nel rispetto delle leggi non scritte dell'ospitalità: in tutte le epoche e a tutte le latitudini, comportarsi in maniera ospitale con chi ne ha bisogno, e per questo ci assomiglia, significa essere realmente umani. Poiché non sappiamo da dove veniamo, chiunque venga da chissà dove merita il nostro complice occhiolino... E poiché prima abbiamo elogiato la perspicacia della lingua castigliana nel suo duplice uso della parola «ospite», adesso rendiamo omaggio alla lingua inglese, nella quale alla parola «grazie» si risponde nella bella maniera comune a tutti i buoni anfitrioni: *you are welcome*, cioè «che tu sia il benvenuto».

Tuttavia, gli obblighi dell'ospitalità vanno ben oltre. Il buon ospite, in tutt'e due i sensi della parola, non cerca solo di essere fraterno nei confronti dei suoi simili, ma anche di rispettare e curare al massimo la casa in cui si alloggia o ospita il suo prossimo.

E questa «casa» di tutti è proprio il pianeta Terra in cui viviamo (anche se forse tu o i tuoi figli, chissà, avrete l'occasione di occupare qualche altro «appartamento» dell'enorme vicinato del sistema solare!). Per il momento, non abbiamo altra dimora in tutto l'universo che questo modesto corpo celeste di terza categoria in cui ci siamo ormai abituati a vivere. Se lo inquiniamo senza rimedio o distruggiamo le sue risorse, da dove tireremo fuori, a medio termine, una buona alternativa?

Alcuni secoli fa, quando gli esseri umani erano assai meno numerosi e avevano bisogno di meno fonti di energia naturale, era possibile abitare la terra come se le sue acque, i suoi alberi e le sue miniere fossero infiniti; oggi questo sperpero è un lusso che non possiamo più permetterci, perché la nostra economia globale produce adesso, in tre settimane, più di quanto i nostri nonni producevano in un intero anno. Questo dispendio di elementi naturali insostituibili lancia una sfida alla nostra prudenza morale, primo per l'ingiustizia insita nel fatto che i paesi più sviluppati sprecano e inquinano cento volte di più degli altri, e secondo quando pensiamo ai nostri futuri discendenti... nei confronti dei quali abbiamo degli obblighi in anticipo, come ospiti di domani! Dunque, l'ospitalità ben intesa, vale a dire, eticamente intesa, incomincia con la preoccupazione di mantenere bene questa «nave» interplanetaria a bordo della quale viaggiamo attraverso il cosmo tutti insieme... anche se in tondo!

Che altro c'è? Be', sì, non mi resta che salutarti. E

raccomandarti di non aspettarti miracoli salvifici né dai nuovi secoli né dai nuovi millenni perché nessun calendario porta mai qualcosa di veramente nuovo nella vita degli uomini. Confida solo in te stesso e nei tuoi simili, in ciò che possiamo (potete!) fare tutti insieme se solo lo vogliamo veramente. Intelligentemente. Per il resto, posso solo augurarti in «bocca al lupo»...

(2000)

# Indice